Phonie-graphie du français

Dominique Abry
Maître de conférences honoraire en didactique du FLE,
Université Grenoble Alpes

Christelle Berger
Professeure certifiée en didactique du FLE, CUEF,
Université Grenoble Alpes

Crédits photographiques et documents

GETTY Images : p. 26 J. Prévert © REPORTER ASSOCIES / Getty Images – **p. 37 :** Grand Corps malade © Eric Catarina / Getty Images – **p 77 :** abbaye de Hautecombe © Godong / Getty Images – **p 100 :** Grotte Chauvet © Patrick Aventurier / Getty Images – **p 107 :** Marie Curie © Print Collector / Getty Images – Simone de Beauvoir © Jean Pimentel / Getty Images – Simone Veil © James Andanson / Getty Images.
p. 44, 61, 139 © Christelle BERGER – **p. 116** © Hachette Livre – **Autres :** © Shutterstock

p. 72 : Philippe Labro, *Les gens*, © Éditions Gallimard – **p. 100 :** Akira Mizubayashi, *Une langue venue d'ailleurs*, © Éditions Gallimard – **p. 122 :** Albert Cohen, *Le livre de ma mère*, © Éditions Gallimard – **p. 130 :** Romain Gary, *La promesse de l'aube*, © Éditions Gallimard – **p. 148 :** Philippe Delerm, *La première gorgée de bière et autres plaisirs minuscules*, © Éditions Gallimard – **p. 38 :** Pierre Coran, *Amuserimes*, © Le Livre de Poche Jeunesse, 2015 – **p. 30** © « Les Hiboux » et **p. 66** © « Le Pélican », *Chantefables et Chantefleurs*, Robert Desnos, Éditions Gründ, 1957. — **p. 54 :** Amélie Nothomb, *Frappe-toi-le cœur*, Éditions Albien Michel, 2017 – **p. 94 :** Denis Laferrière, *Le charme des après-midi sans fin*, Éditions Le serpent à Plumes – **p.107 :** « LES IDEAUX » d'Aurélie Filippetti © Librairie ARTHEME FAYARD – **p. 136 :** *Chanson de charme*, Paroles de Boris Vian, musique de Mouloudji/Albert Assayag, 1971, Éditions Majestic Jacques Canetti – **p. 142 :** Françoise Sagan, *Bonjour tristesse*, Éditions Pocket.

Couverture : Nicolas PIROUX

Conception graphique : Nicolas PIROUX / Sylvie DAUDRÉ

Mise en pages : Sylvie DAUDRÉ

Illustrations : Corinne TARCELIN

Enregistrements audio, montage et mixage : QUALISONS (David HASSICI)
p. 54 : texte d'Amélie Nothomb. L'enregistrement intégral de cette œuvre, lu par Françoise Gillard, est disponible aux Éditions Audiolib : http://www.audiolib.fr

Maîtrise d'œuvre : Joëlle BONENFANT

Nous avons fait tout notre possible pour obtenir les autorisations de reproduction des documents publiés dans cet ouvrage. Dans le cas où des omissions ou des erreurs se seraient glissées dans nos références, nous y remédierons dans les éditions à venir.

ISBN : 978-2-01-401629-1

Sommaire

Mode d'emploi

A. Je découvre

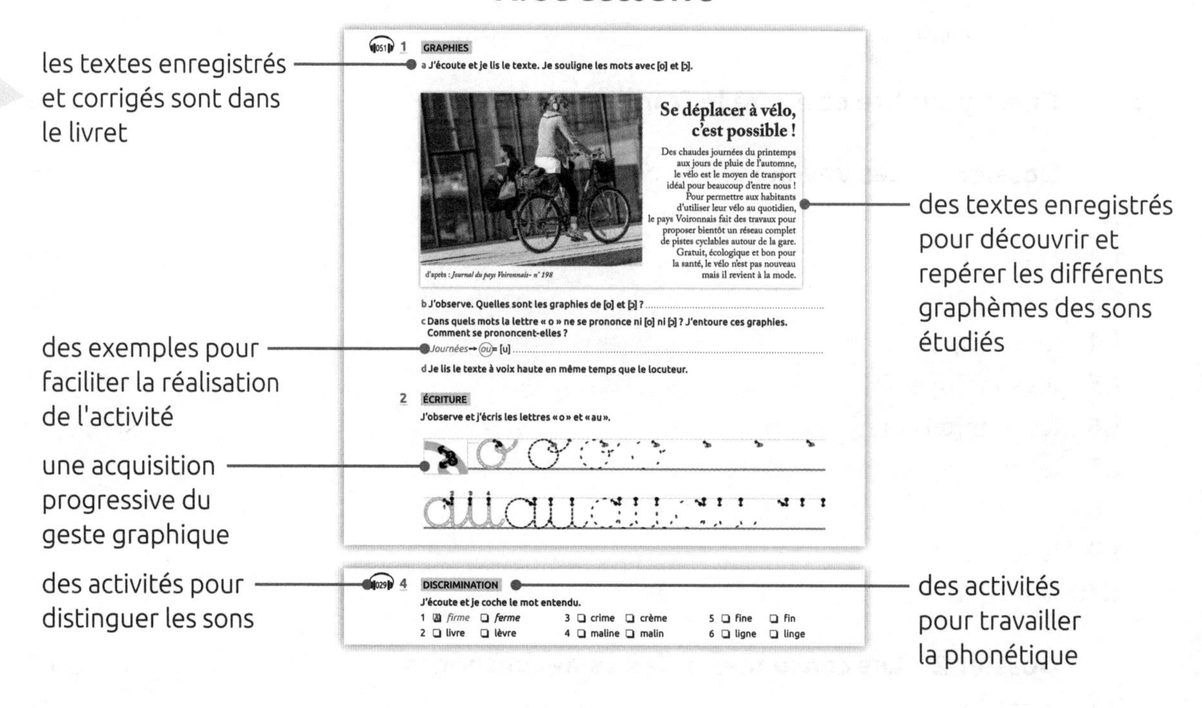

B. Je crée des liens

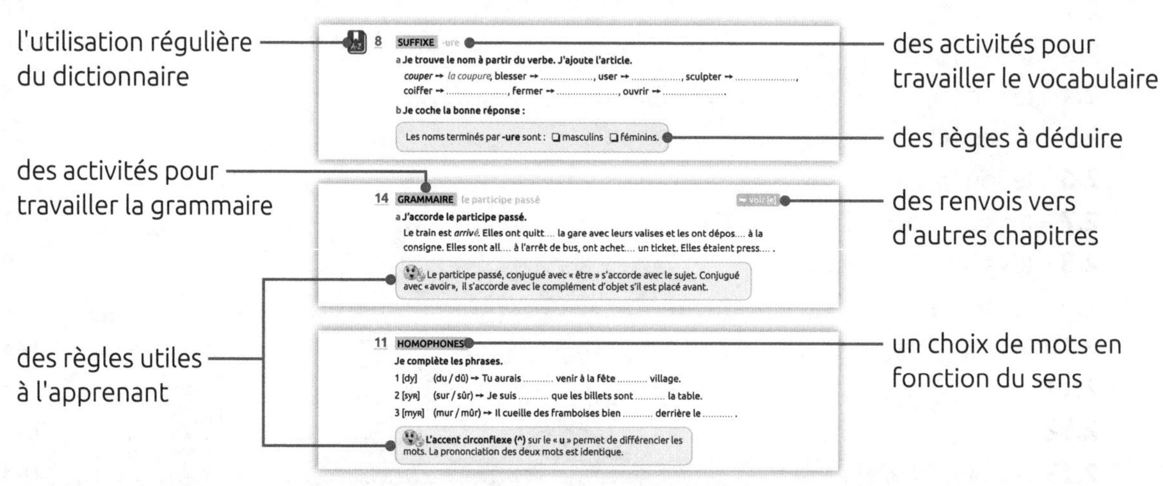

C. J'écoute, j'écris, je dis

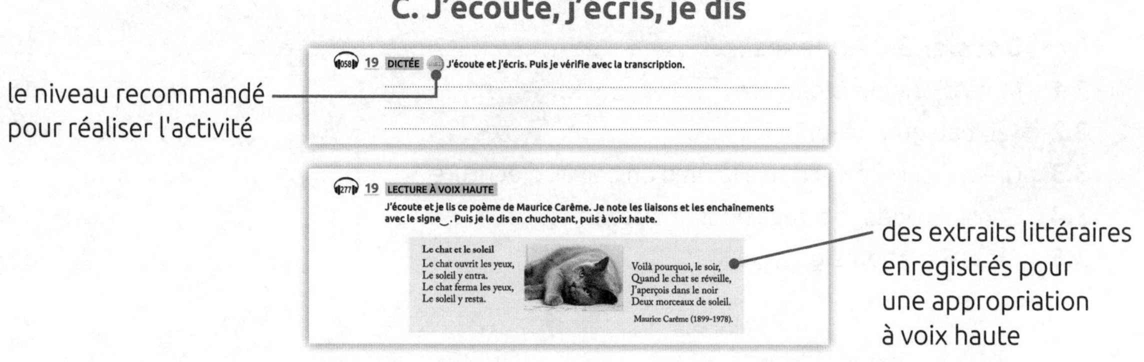

Avant-propos

Phonie-graphie propose un voyage à travers les sons et les lettres. L'ouvrage a pour objectif de faire acquérir aux apprenants des niveaux A et B du CECRL, le fonctionnement assez complexe du code oral et du code écrit du français.

Phonie-graphie est conçu :

- **pour l'apprenant :** c'est un outil d'autoapprentissage pour l'acquisition et/ou la révision du code phonographique du français. Il montre comment fonctionne, dans ses régularités et ses complexités, le code graphique par rapport au code phonique. En effet, on peut transcrire un son avec une lettre ou plusieurs lettres (les graphèmes) et, à l'inverse, une lettre (ou une suite de lettres) peut se prononcer de deux manières différentes ou ne pas se prononcer. Une observation guidée des mots par l'intermédiaire de questions fermées permet à l'apprenant de déduire les règles et de s'approprier progressivement les graphèmes du français grâce à plusieurs activités d'entraînement. Chaque chapitre propose des activités correspondant aux niveaux A1/A2. D'autres, plus difficiles, proposent des activités correspondant aux niveaux B1/B2. Le lexique est adapté à chaque niveau pour ne pas faire obstacle à la réussite de l'activité.
- **pour l'enseignant :** ce support d'enseignement du système des graphies pour chaque son du français permet d'éveiller l'esprit d'observation des apprenants. Il guide leur réflexion linguistique vers l'élaboration d'hypothèses par une démarche inductive. Cette démarche favorise la production de mots, de phrases et de textes et enrichit leurs savoirs et savoir-faire en français.

Cet ouvrage comporte : un guide pour lire et écrire en français qui donne les règles de base de l'écriture alphabétique, 10 chapitres pour les voyelles, 13 chapitres pour les consonnes et semi-consonnes, un chapitre pour la lettre « h » et, en annexe, un chapitre sur la prononciation des mots étrangers en français. L'entrée pour les chapitres concernant les voyelles et les consonnes se fait par le son transcrit en alphabet phonétique international (API , tableau p. 14) et la présentation des différentes graphies de base et secondaires. Certains sons ont été regroupés dans un même chapitre. Comme beaucoup d'autres langues, la langue française s'écrit avec l'alphabet latin et 26 lettres auxquelles sont rajouté les accents et la cédille.

Destiné à des situations d'apprentissage variées, il n'y a pas de progression imposée des chapitres. L'apprenant ou l'enseignant est libre d'établir un programme et une progression selon les besoins. Des renvois permettent de faire le lien indispensable entre certains chapitres. Cependant, chaque chapitre est organisé selon une progression qui reflète la démarche méthodologique des auteures et comprend trois parties qui proposent chacune des activités spécifiques :

A. Je découvre
B. Je crée des liens
C. J'écoute, j'écris, je dis

A. Je découvre

■ Graphies : à partir d'un texte toujours enregistré en lien avec des situations réelles de la vie quotidienne, l'apprenant est amené à découvrir, observer et repérer les différents graphèmes du son étudié et à les classer. Une activité de lecture à voix haute permet de poursuivre le travail de mémorisation et d'acquisition de la relation graphèmes-phonèmes.

■ Écriture : l'apprenant acquiert le geste graphique de la lettre ou de la suite de lettres pour chaque son étudié. Un dessin fléché décompose les différentes étapes du tracé. L'apprenant s'entraîne aussi à écrire une phrase où la lettre est très présente en majuscule et en minuscule. Le geste articulatoire, de gauche à droite, doit devenir le plus aisé possible.

Syllabation et Mise en mots : l'apprenant s'entraîne à retrouver les mots et à syllaber. Le français oral ne respecte pas la frontière des mots : parfois, il enchaîne la consonne finale d'un mot avec la voyelle du mot qui suit (enchaînement), mais il peut aussi ajouter une consonne (liaison) devant une voyelle ou ne pas prononcer certaines lettres. L'apprenant doit apprendre à reconnaître visuellement les mots écrits.

Mots invariables : des activités permettent de mémoriser certains mots grammaticaux invariables, comportant les graphies et les sons concernés, très fréquents dans la langue française et donc très utiles dans le discours.

Discrimination : Certains sons n'existent pas dans la langue d'origine de l'apprenant. Il est essentiel de pouvoir les reconnaître pour les transcrire. Systématiquement, dans chaque chapitre, l'apprenant s'entraîne à percevoir, distinguer, identifier le son par rapport à des sons voisins qui ne s'opposent que par un seul trait articulatoire (exemple la sonorité ou l'assourdissement pour les consonnes).

B. Je crée des liens

Choix de la graphie : après avoir découvert les différentes façons de transcrire un son, des activités amènent l'apprenant à faire le choix entre diverses graphies pour commencer à fixer l'orthographe des mots.

D'un mot à l'autre, Mots en série, Mots de la même famille, Mots tronqués/familiers : toutes ces activités sont orientées vers le lexique et permettent de montrer des séries que l'œil va saisir et s'approprier. L'apprenant construit ainsi des liens de sens ou de sons entre les mots. Il mémorise les lettres muettes des mots de base qui se font entendre dans les mots dérivés.

Préfixes et Suffixes : à partir d'un mot de base, d'un radical, on peut créer d'autres mots avec une préfixation (qui ne change pas la nature grammaticale du mot) et/ou une suffixation (qui change la nature grammaticale du mot). Comprendre ce fonctionnement lexical permet donc de maîtriser un plus grand nombre de mots à l'oral et à l'écrit.

Grammaire et Conjugaison : le français construit ses oppositions morphologiques avec des différences de sons et de graphies. Ainsi, au niveau verbal, l'écrit fait des distinctions que l'oral ne fait pas : la conjugaison présente beaucoup d'homophones qui ne sont pas homographes et que l'apprenant doit savoir gérer.

Accents et autres signes : ce type d'activités concerne les signes diacritiques du français : les voyelles pour les accents et la lettre « c » pour la cédille. L'apprenant découvre dans quelles conditions les accents ou la cédille sont ajoutés et apprend à les utiliser.

Homophones : en français, le phénomène de l'homophonie est assez large. La graphie permet souvent de lever l'ambiguïté car peu de mots sont homographes. L'analyse grammaticale et/ou sémantique permettent de faire le bon choix.

Mots voisins : Faisant le pendant des exercices de discrimination, ces activités obligent l'apprenant à s'appuyer sur le contexte pour choisir le bon mot. La mise en voix des phrases et leur lecture renforcent l'appropriation de deux sons proches.

C. J'écoute, j'écris, je dis

Dictée : Il y en a deux : une pour le niveau A1/A2 A1/A2 et une pour le niveau B1/B2 B1/B2. Les dictées reprennent ce qui a été étudié tout au long du chapitre. Elles peuvent être préparées par un travail spécifique sur le vocabulaire ou par un rappel de certaines structures grammaticales. Des conseils pédagogiques pour les dictées sont donnés en annexe p. 158 et montrent les différents déroulements possibles.

Lecture à voix haute : L'apprenant lit et écoute puis réécoute s'il le veut des extraits littéraires variés (poésie, roman, essai, correspondance...) d'écrivains français et francophones contemporains. Il s'approprie le texte en le lisant à voix haute, l'œil et la voix apprenant à se coordonner. La voix régule la musique de chaque phrase, qu'elle soit courte ou longue, et en fait sentir toute la justesse. L'apprenant doit prendre l'habitude de lire à voix haute ses propres textes pour en vérifier la qualité. Son oreille entraînée par l'écoute de textes et de dialogues décèle ainsi par l'oral les incohérences de style, de temps ou de vocabulaire.

Lecture et culture : On ne peut apprendre une langue sans sa culture. Cette activité apparaît dans certains chapitres et met l'accent sur des faits culturels français. Elle permet à l'apprenant d'utiliser ce qu'il a appris pour mieux comprendre un texte culturel.

Un CD de 239 minutes comprend les enregistrements de près de 300 exercices. Ils sont nécessaires, soit pour réaliser l'activité, soit pour que les apprenants s'autocorrigent. En effet, le corrigé ne doit pas seulement être écrit mais aussi oral, compte tenu du décalage qui existe entre les deux codes en français.

En annexes, un tableau complet de base et secondaires et une grille pour l'auto-correction à la fin d'un travail d'écriture. Cette grille aidera l'apprenant à relire systématiquement de la graphie vers la phonie le texte ou la phrase qu'il vient d'écrire grâce aux questions qui lui sont posées. Un glossaire apporte la définition des mots linguistiques utilisés dans l'ouvrage.

Sur le site www.focus.hachettefle.fr, un espace dédié à l'ouvrage permet à l'apprenant :
- de s'entraîner à l'acquisition du geste graphique pour certaines lettres ou couples de lettres,
- de trouver des informations complémentaires sur les règles de la liaison, du « e » instable et la définition des mots linguistiques utilisés dans l'ouvrage.

Les corrigés et transcriptions des activités sont proposés en fin d'ouvrage dans un livret. Les apprenants pourront s'y référer régulièrement pour s'autoévaluer.

Les auteures espèrent que ce voyage passionnant à travers les sons et les lettres permettra aux apprenants d'acquérir avec plaisir une bonne maîtrise de l'écriture du français.

Guide pour lire et écrire le français

A. L'alphabet

1 **a Je lis et j'écoute l'alphabet. Il a 26 lettres.**

A	B	C	D	E	F	G	H	I	J	K	L	M	N	O	P	Q	R	S	T	U	V	W	X	Y	Z
a	b	c	d	e	f	g	h	i	j	k	l	m	n	o	p	q	r	s	t	u	v	w	x	y	z

a b c d e f g h i j k l m n o p q r s t u v w x y z

b J'écoute à nouveau et je classe chaque consonne selon la voyelle prononcée.

API*	
[a]	*h*, ….. ,
[e]	*b*, ….. , ….. , ….. , ….. , ….. , ….. , …..
[ɛ]	….. , ….. , ….. , ….. , ….. , ….. , …..
[i]	….. , …..
[y]	…..

* API voir : tableau phonie graphie du français p.14.

2 **J'écoute et j'écris les mots épelés. Quand il y a 2 lettres semblables qui se suivent, je dis « 2 m » ou « double m ».**

1 *Mireille : « M ; i ; r ; e ; i ; 2 l ; e »*
2 …………………………………………………
3 …………………………………………………
4 …………………………………………………
5 …………………………………………………
6 …………………………………………………

3 **a Je lis à haute voix les sigles et je les associe à leur définition.**

1 *la SPA* → c
2 la SNCF
3 un VTT
4 un TGV
5 un SDF

a un train à grande vitesse
b un sans domicile fixe
c *la société protectrice des animaux*
d la société nationale des chemins de fer
e un vélo tout terrain

b J'écoute pour vérifier.

B. Les accents et autres signes

Trois accents et un tréma

4 **a J'écoute les mots épelés et je remarque les voyelles avec un accent ou un tréma.**

avec accent	accent aigu	accent grave	accent circonflexe	tréma
son ≠	é → été	è → mère	ê → fête ô → vôtre	ë → Gaël ï → maïs
son =		à → là ù → où	â → théâtre î → île û → sûr	

b Je remets les lettres dans l'ordre et j'écris le mot.

m è
r e c

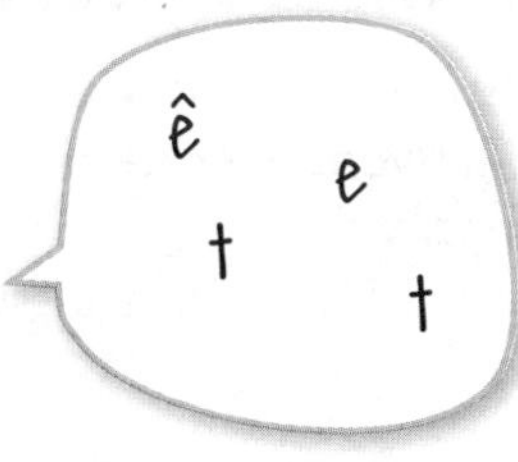

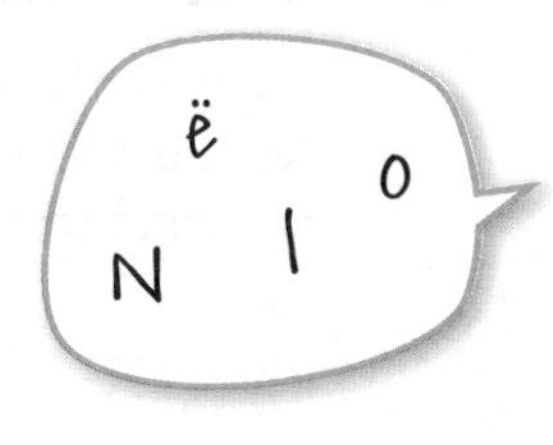

le cinéma 1 la .... 2 la .... 3 ....

La cédille

Devant a, o, u : c → ç = [s] : une leçon – ça va – j'ai reçu

5 J'écoute et j'ajoute la cédille si nécessaire.

1 Cécile apprend sa lecon de francais.

2 Nous commencons l'exercice.

3 Cédric a recu un colis.

L'apostrophe

Devant « e », « a » ou « h » muet :

- **le – la** → *l' : un arbre / l'arbre – un homme / l'homme – une école / l'école*
- **je – me – te – se – ce – le – que – de** → *j'ai – il s'habille – c'est l'hiver – Il rêve d'aller en France parce qu'il veut étudier le français.*

Devant « il » :

- **si** → *si il te plait = s'il te plait.*

6 J'écoute. J'écris la phrase, je supprime « e », « a » et « i » si nécessaire et j'ajoute une apostrophe.

1 Je suis française et je ai 32 ans. → *Je suis française et j'ai 32 ans.*

2 Je ne suis pas mariée et je ne ai pas de enfants. → ....

3 Ce est le hiver, il se habille chaudement. → ....

4 Si il te plait, tu te excuses. → ....

5 Tu sais ce que elle veut faire après la université ? → ....

7 Je mets les lettres dans l'ordre et j'écris le mot.

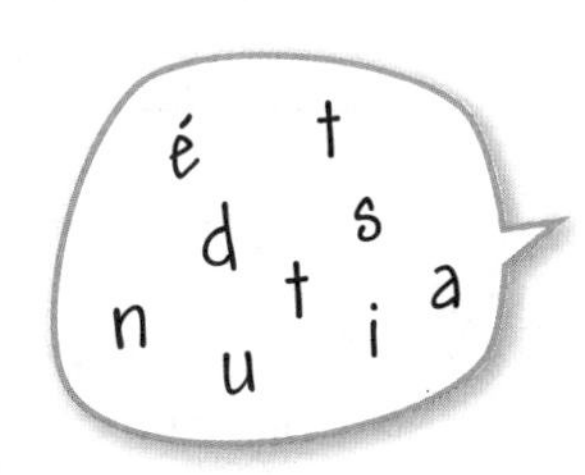

1 *le journal* 2 la .... 3 l' .... 4 les ....

C. Combinaison de lettres

En français, il n'y a pas toujours la correspondance suivante : un son = une lettre. Certains sons s'écrivent avec deux ou trois lettres. Il y a aussi des lettres qui ne se prononcent pas.

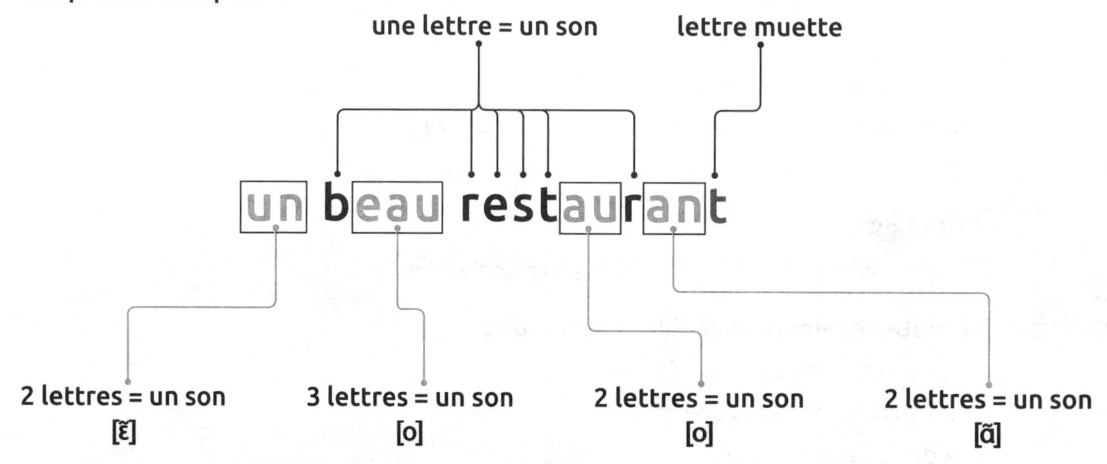

Combinaison de 2 ou 3 voyelles = une voyelle prononcée

J'écris		Je dis
ai	une maison	[e]*
ei	la neige	[ɛ]*
ou	rouge	[u]

J'écris		Je dis
au	jaune	[o]
eau	un bateau	[o]
eu	un euro	[ø]
œu	la sœur	[œ]

* [e] et [ɛ] ont beaucoup de graphies différentes.

8 J'écoute et je lis. J'entoure les voyelles prononcées qui ont des graphies à 2 ou 3 lettres.

1 Il y a *deux bateaux* au bord de l'eau près de la maison du pêcheur.

2 Il faut aller faire du ski avec ta sœur. La neige est douce et fraiche.

Combinaison de voyelle(s) + n/m = une voyelle nasale prononcée

J'écris		Je dis
on, om	le monde, il tombe	[ɔ̃]
an, am, en, em	un plan, une lampe, une dent, le temps	[ɑ̃]
in, im, un, ain, ein	un simple jardin, du pain, c'est plein	[ɛ̃]

9 J'écoute et je lis. Je souligne les voyelles nasales.

1 *Un* avion dessine dans le ciel limpide une ligne blanche.

2 Nous mangeons une banane tranquillement dans le jardin.

Combinaison de 2 consonnes = une consonne prononcée

J'écris		Je dis
ch	un château, un chien	[ʃ]
ph	une photo, la pharmacie	[f]
th	le thé, le théâtre	[t]
gn	la montagne, la ligne	[ɲ]
qu	la banque, quand	[k]

010 **10 a J'écoute et je lis. J'entoure les consonnes prononcées qui ont des graphies à 2 lettres.**

1 Je *ch*e*r**ch*e une photo de château en montagne.

2 Quand est-ce que Philippe va au théâtre ?

b Je souligne les voyelles prononcées qui ont des graphies à 2 ou 3 lettres.

Les doubles consonnes se prononcent comme une simple consonne : *Philippe* [filip], *attendre* [atɑ̃dʀ], *grammaire* [gʀamɛʀ]. Mais « **s** » entre deux voyelles se prononce [z] et deux « **ss** » se prononcent [s]

➡ voir 13 b

Combinaison de voyelles/consonne(s) = voyelle et semi-consonne prononcées

J'écris		Je dis
ail / aille	le travail, la paille	[aj]
eil / eille	un réveil, une abeille	[ɛj]
ui	la nuit	[ɥi]
oi	noir	[wa]
oin	loin	[wɛ̃]

011 **11 J'écoute et je lis. Je souligne d'un trait les [j], de deux traits les [wa]/[wɛ̃] et j'entoure [ɥi].**

1 Il fait un temps *merveilleux*. Le soleil brille au loin.

2 Samedi soir, je suis allé voir un film avec Camille et je n'ai pas travaillé.

D. La lettre « h »

La lettre « h » ne se prononce jamais. Il y a deux « h » :

- le « h » muet : il y a liaison et élision : *les hommes, l'hôtel*
- le « h » aspiré empêche la liaison et l'élision : *les *#héros* [leeʀo], *la *#haine* [laɛn]

Au milieu d'un mot, « h » sépare deux voyelles : *dehors* [dəɔʀ], *cahier* [kaje]

La lettre h peut se combiner avec les lettres t, c, p, s, r. ➡ voir combinaison de consonnes

*# : Indique que les sons sont prononcés séparément.

E. La lettre « x »

➥ voir [s]/[z]

	[ks]	[gz]	[z]	[s]	[-]
à l'intérieur du mot	un taxi, excellent, luxe	exercice, exemple, Xavier	deuxième	soixante	–
à la fin du mot	–	–	deux enfants deux hommes	six	doux, la paix deux #héros

012 **12 J'écoute et je lis. J'écris la prononciation de « x » en dessous.** ➥ voir [s]/[z]

1 Le taxi a coûté soixante euros à Xavier pour aller au musée des Beaux-Arts.

[ks]..

2 C'est exact, il dit qu'il est heureux avec ses deux enfants.

....

F. Les lettres à deux prononciations

13 Lettres « g », « s », « t », « c » ➥ voir [g], [ʒ], [s]/[z], [t], [k]

a « g » = [g] ou [ʒ] ? J'écoute, je souligne [g] et j'encadre [ʒ].

Guy fait de la gymnastique et du patin à glace. Georges aime la guitare et les films de guerre.

b « s » = [s] ou [z] ? J'écoute, je souligne [s] et j'encadre [z].

Mon *cousin* organise une surprise, samedi, pour l'anniversaire de son voisin russe.

c « t » = [t] ou [s] ? J'écoute, je souligne [t] et j'encadre [s].

Il y a une *tentative* de révolution pour installer la démocratie.

d « c » = [k] ou [s] ? J'écoute, je souligne [k] et j'encadre [s].

La *capitale* de la France est une cité qui organise beaucoup de circuits pour les touristes.

G. Les consonnes finales et le « e » instable

14 **En général, en position finale, les consonnes « s », « x », « z », « t », « d », « p » et la voyelle « e » ne se prononcent pas. Par contre, les consonnes c, f, l, se prononcent.**

a J'écoute et je barre les consonnes et le « e » qui ne se prononcent pas.

L'étudiante descend du bus. Elle habite près de l'hôpital dans un appartement neuf, sur le grand boulevard. C'est un hiver très froid et long. Elle boit une tasse de thé chaud quand elle arrive.

b J'écoute à nouveau pour vérifier.

15 **a J'écoute les verbes. Je barre les consonnes et le « e » des terminaisons verbales qui ne se prononcent pas.**

1 *J'étudie, tu étudies*, il étudie, nous étudions, vous étudiez, ils étudient

2 Je veux, tu veux, il veut, nous voulons, vous voulez, ils veulent

3 Je prends, tu prends, il prend, nous prenons, vous prenez, ils prennent

b Je coche la bonne réponse :

La terminaison « **ez** » du verbe se prononce : ❑ **[e]** ❑ **[ez]**

H. La phrase, ponctuation et majuscules

On écrit de gauche à droite. Une phrase commence toujours par une majuscule (la première lettre) et finit par un point. Les noms propres commencent aussi par une majuscule. On sépare les mots par une espace.

j'airencontrépierreàparis → *J'ai rencontré Pierre à Paris.*

La ponctuation

- **La virgule « , » :** entre les mots d'une liste ou avant une autre partie de phrase. *Quand il fait beau, je marche. Elle est grande, brune, très bien habillée.*
- **Le point d'interrogation « ? » :** pour poser une question. *Vous habitez où ?*
- **Le point d'exclamation « ! » :** pour montrer l'étonnement ou l'énervement. *Quelle histoire !*
- **Le trait d'union « - » :** pour les mots composés. *Le porte-monnaie*
- **Les deux points « : » :** pour annoncer une énumération ou une citation. *Les grandes villes de France sont : Paris, Lyon et Marseille.*
- **Les points de suspension « ... » :** pour indiquer que la phrase n'est pas vraiment finie.
- **Les crochets [...] :** pour la transcription phonétique.

16 **a Je sépare les mots et j'écris la phrase avec la ponctuation et les majuscules.**

1 commenttut'appelles? → *Comment tu t'appelles ?*

2 queltempsmagnifique! → ....

3 Ilssontallléssamediaucinémavoirunfilm. → ....

b J'écoute pour vérifier.

17 **a Je mets la phrase dans l'ordre et je l'écris. Je n'oublie pas la ponctuation et les majuscules.**

1 de – natation – fais – la – je – fois – une – semaine – par

Je fais de la natation une fois par semaine.

2 aimez – française – est-ce – la – vous – cuisine – que

....

3 le – ami – ai – un – week-end – à – passé – j' – nice – avec – enfance – d'

....

b J'écoute pour vérifier.

Tableau Phonie - Graphie du français

13 voyelles		17 consonnes	
Son	graphème(s) fréquent(s)	Son	graphème(s) fréquent(s)
[a]	a *(ma)*	[p]	p *(pou)*
[i]	i *(mi)*	[b]	b *(bout)*
[y]	u *(mue)*	[t]	t *(tout)*
[u]	ou *(moue)*	[d]	d *(doux)*
[o] ou [ɔ]	o, (e)au *(mot, molle)*	[k]	c, qu, k, ch *(cou)*
[ø] ou [œ]	e, eu, œu *(meut, me)*	[g]	g/gu *(goût)*
[e]	é, er, ez, es *(mémé)*	[m]	m *(mou)*
[e] ou [ɛ]	ai, et *(mais)*	[n]	n *(nous)*
[ɛ]	e + C, è, ê *(mère)*	[ɲ]	gn *(ligne)*
[ɔ̃]	on *(mon)*	[l]	l *(loup)*
[ɑ̃]	an, en *(ment)*	[ʀ]	r *(roux)*
[ɛ̃]	in, un, ain *(main)*	[f]	f, ph *(fou)*
les trois semi-consonnes		[v]	v *(vous)*
[j]	i, ill, y *(ouille)*	[s]	s/ss, c/ç, ti *(sous)*
[ɥ]	u *(lui)*	[ks]/[gz]	x *(axe, examen)*
[w]	ou *(louis)*	[z]	s, z *(zouzou)*
[wa]	oi *(loi)*	[ʃ]	ch *(chou)*
[wɛ̃]	oin *(loin)*	[ʒ]	g/ge, j *(joue)*

Les chiffres

0 zéro
1 un
2 deux
3 trois
4 quatre
5 cinq
6 six
7 sept
8 huit
9 neuf

10 dix
11 onze
12 douze
13 treize
14 quatorze
15 quinze
16 seize
17 dix-sept
18 dix-huit
19 dix-neuf

20 vingt
21 vingt et un
22 vingt-deux
30 trente
31 trente et un
32 trente-deux
40 quarante
41 quarante et un
42 quarante-deux
50 cinquante

60 soixante
70 soixante-dix
71 soixante et onze
72 soixante-douze
80 quatre-vingts
81 quatre-vingt-un
82 quatre-vingt-deux
90 quatre-vingt-dix
91 quatre-vingt-onze
92 quatre-vingt-douze

100 cent
101 cent un
102 cent deux
200 deux cents
201 deux cent un
1 000 mille
2 000 deux mille
1 000 000 un million
2 000 000 deux millions
1 000 000 000 un milliard

le son [a]

A. Je découvre

1 GRAPHIES

La nouvelle caméra connectée La caméra VisaSécurité (SECURICAM), la nouvelle caméra de surveillance française, fait parler d'elle avec son apparence raffinée et sa facilité d'installation. Elle est capable de reconnaître de jour comme de nuit chaque membre d'une famille grâce à la technologie de reconnaissance des visages. Si la personne qui passe devant la caméra est inconnue, elle enverra immédiatement un message d'alerte sur votre Smartphone.
Évidemment c'est pratique, vous gardez ainsi un œil sur votre lieu d'habitation en cas d'absence.

a J'écoute et je lis le texte. Je souligne les [a] entendus. Quelles sont les graphies de [a] ?

....

b J'entoure les autres graphies avec la lettre « a ». Comment se prononcent-elles ?

2 ÉCRITURE

a J'observe et j'écris la lettre « a » sans accent et avec accent.

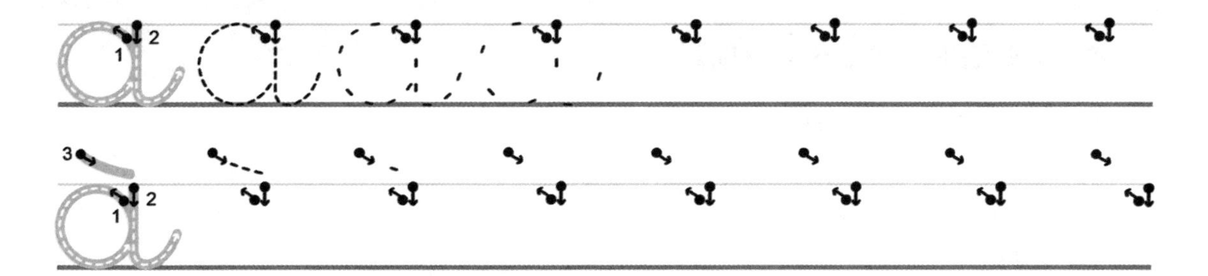

b J'écris la phrase et j'ajoute les majuscules si nécessaire et la ponctuation si nécessaire.

albert et anne sont arrivés à arles après un voyage pendant les vacances de pâques en alsace et dans les alpes

....

....

3 MOTS INVARIABLES

Je complète la grille avec les mots : *d'après*, là-bas, alors, grâce à, auparavant, jusqu'à, voilà, déjà, cela, car, apparemment.

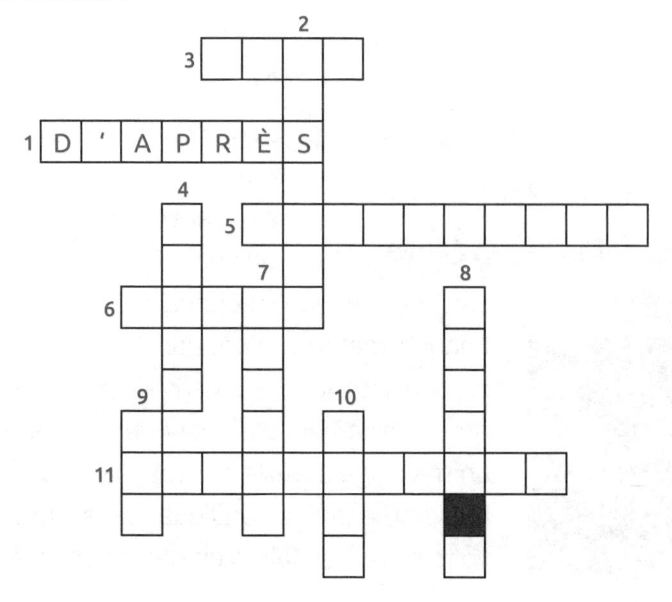

4 DISCRIMINATION

022

Je lis et j'écoute. Je classe les mots avec « a » dans le tableau et je complète les graphies complexes : [o], [ɑ̃], [ɛ], [ɛ̃].

Il sait qu'il ne doit pas boire de lait à cause de son allergie au lactose, mais il est gourmand. Cela lui fait du mal, mais il mange des yaourts, des fromages blancs ainsi que du chocolat au lait. C'est dangereux pour lui. Il devrait être raisonnable.

a, à [a]	au [o]	an [ɑ̃]	ai [ɛ]	ain [ɛ̃]
pas, ...	*au*, ...	....	....	....

B. Je crée des liens

5 D'UN MOT À L'AUTRE

Je déplace le « a » pour faire un nouveau mot.

art → *rat* 1 ange → .... 2 mais → .... 3 maire → .... 4 vais → .... 5 ancre → .... 6 grade → ....

6 PRÉFIXE « a » = rapprochement

Je lis la définition et je trouve le verbe.

Se rapprocher de : *la côte* : *accoster*

1 la terre : ....

2 du bord : ....

3 de la rive : ....

4 de la lune: ....

7 PRÉFIXE « a » = absence

Je lis la définition et je trouve l'adjectif.

sans patrie → *apatride*

1 sans morale → ....

2 sans nom → ....

3 en dehors du temps → ....

4 en dehors de la politique → ....

5 en dehors de la norme → ....

8 SUFFIXE amment / emment [amɑ̃]

a Je construis l'adverbe à partir de l'adjectif.

1 *méchant* → *méchamment* – élégant → .... – courant → ....

2 *fréquent* → *fréquemment* – intelligent → .... – évident → ....

023

b J'écoute et je complète la phrase avec des adverbes.

Il est suffis....................... intelligent pour ne pas réagir viol....................... Il saura parler prud....................... et ne pas réagir méch ....

9 SUFFIXE -âtre

Je construis l'adjectif qui donne une idée négative.

blanche → *blanchâtre* – grise → .... – noire → .... – rouge → .... – bleu → .... – vert → ....

10 ACCENTS

Je trouve le mot qui s'écrit sans accent circonflexe (^) et je mets l'accent sur les autres.

fâcher – lâcher – gâcher – hacher

1 psychiatre – théatre – verdatre – platre

2 hate – pate – pale – mate

3 ame – page – age – ane -

4 gateau – chateau – bateau – rateau

11 HOMOPHONES

a Je complète avec « a » ou « à ».

Alice a attendu longtemps son amie à la gare.

1 Maxime n'........ jamais habité .... la campagne.

2 Sa réponse .... ma question m'........ beaucoup étonné.

3 Il .... mal .... la tête depuis ce matin.

b Je complète avec « à » ou « a ».

verbe avoir = ... préposition = ...

12 HOMOPHONES

Je complète les phrases avec les homophones.

[mal] (malle / mal) → *Je me suis fait mal en me cognant à cette malle.*

1 [pat] (pâtes / patte) → J'ai fait tomber le plat de .... sur les .... du chien.

2 [taʃ] (taches / tâche) → Je me suis fait des .... en réalisant cette ....

3 [va] (va / vas) → J'ai l'impression que cet homme te suit : il .... où tu ....

13 HOMOPHONES

Je complète les phrases.

[la] (la / l'a) → *Cette pièce de Molière, il l'a vue dix fois et il la regarde toujours avec plaisir.*

1 [la] (la / l'a) → *Cette maison, il .... achetée il y a deux ans et il .... revend déjà.*

2 [lapɔʀt] (la porte / l'apporte) → La secrétaire a reçu une lettre urgente. Elle .... au directeur. Il n'est pas là, ... est fermée.

3 [apʀɑ̃dʀ] (à prendre / apprendre) → Il faut .... la vie du bon côté.

C. J'écoute, j'écris, je dis

024

14 DICTÉE A1/A2 **J'écoute et j'écris. Puis je vérifie avec la transcription.**

....

....

....

025

15 DICTÉE B1/B2 **J'écoute et j'écris. Puis je vérifie avec la transcription.**

....

....

....

....

026

16 LECTURE À VOIX HAUTE

J'écoute et je lis le poème de Jacques Charpentreau. Je note les pauses (/). Puis je lis le poème à voix haute.

L'école

Dans notre ville, il y a
Des tours, des maisons par milliers,
Du béton, des blocs, des quartiers,
Et puis mon cœur, mon cœur qui bat
Tout bas.

Dans mon quartier, il y a
Des boulevards, des avenues,
Des places, des ronds-points, des rues,
Et puis mon cœur, mon cœur qui bat
Tout bas.

Dans notre rue, il y a
Des autos, des gens qui s'affolent,
Un grand magasin, une école,
Et puis mon cœur, mon cœur qui bat
Tout bas.

Dans cette école, il y a
Des oiseaux chantant tout le jour
Dans les marronniers de la cour.
Mon cœur, mon cœur, mon cœur qui bat
Est là.

Jacques Charpentreau (1928-2016)

le son [i]

A. Je découvre

C'est l'hiver ! Faites du ski !

Anaïs est monitrice de ski. « Quand on skie, on oublie tout ! » nous dit-elle.
Le principe est facile. On fixe ses skis aux pieds et on glisse sur la piste blanche.
On respire, on admire le paysage… Plaisir garanti !
Cette activité sportive est bénéfique pour tous avec quelques préparatifs.
Pour choisir un matériel de qualité et avoir du style, allez chez un spécialiste. Bien sûr, faire du ski a un prix. Pensez à votre carte de crédit !
Pour profiter de la neige en toute sécurité, faites un peu de gymnastique avant de partir, sinon, vous pouvez finir à l'infirmerie.
Ne prenez pas de risques inutiles !

1 GRAPHIES

a Je lis et j'écoute. Je souligne les mots où j'entends [i]. Quelles sont les graphies de [i] ?

……………………………………………………………………………………………………

b Quelles sont les graphies avec les lettres « i » et « y » qui ne se prononcent pas [i] ?

ai : [ɛ] *faire,* ……………………………………………………………………………………

2 ÉCRITURE

a J'observe et j'écris les lettres « i » et « y ».

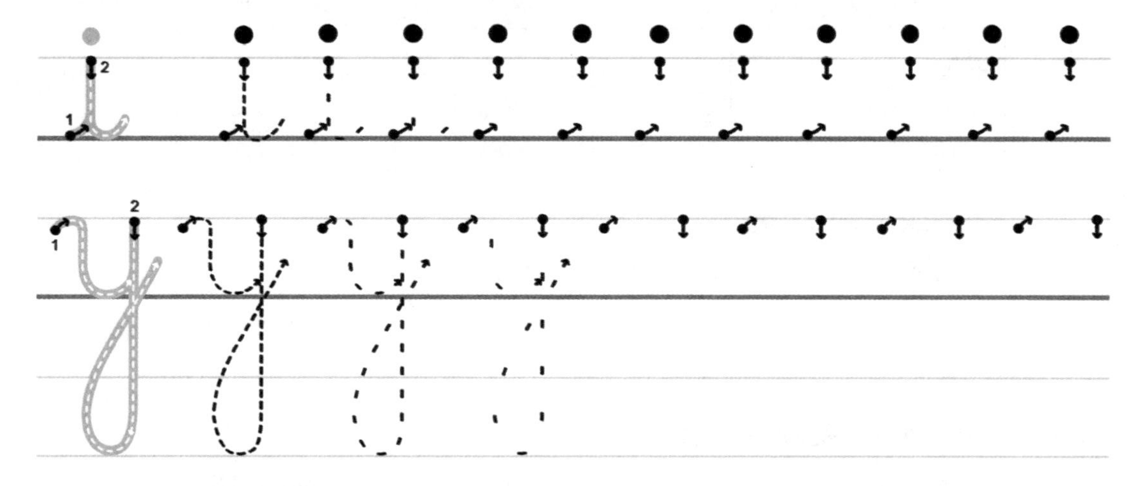

b Je mets les points sur les i.

Tous les *midis* j'écrıs sur mon cahıer les hıstoıres vraıes de ma famılle et de mes amıs.

1.2 le son [i]

3 ÉCRITURE

a J'écoute et je lis. J'ajoute un point ou un tréma (¨) sur le « i ».

1 Elle l'a beaucoup *haï*. Maıs elle ne le haıt plus.
2 J'aıme le maıs maıs pas le quınoa.
3 Ce roı héroıque n'est jamais allé en Jamaıque.

b Je coche la bonne réponse :

Avec le tréma (¨), les deux voyelles sont prononcées séparément : ❑ oui ❑ non

4 DISCRIMINATION

J'écoute et je coche le mot entendu.

1 ☒ *firme* ❑ *ferme*
2 ❑ livre ❑ lèvre
3 ❑ crime ❑ crème
4 ❑ maline ❑ malin
5 ❑ fine ❑ fin
6 ❑ ligne ❑ linge

B. Je crée des liens

5 CHOIX DE LA GRAPHIE

Dans chaque mot, j'écris les « i » et les « y ».

dynastie 1 wh....sk.... 2 st....l....ste 3 ps....cholog....e 4 ph....s....que 5 m....sog....ne
6 h....stér....e 7 h....pocr....te 8 m....st....que

6 MOTS EN SÉRIE

Je lis les mots et je les classe selon leur terminaison.

abri – tapis – dix – six – riz – partie - vie – lit – ami – petit – tri – prix – sortie – nid – gris – crédit – outil – souris – avis – habit – ski – cri – favori – gentil – série – envie – paradis

-i	-ie	-is	–it	– ix	–id	-il	-iz
abri, ...	....	....	....	....	....	....	....
....	....	....	....	....	....	....	....
....	....	....	....	....	....	....	....

7 D'UN MOT À L'AUTRE

J'ajoute un « i » pour faire un nouveau mot.

valse → *valise* – vanté → .... – âme → .... – études → ....
sorte → .... – mage → .... – pars → .... – barbare → ....

8 MOTS DE LA MÊME FAMILLE

Je trouve la consonne finale qui ne se prononce pas. J'ajoute l'article.

tapisserie → *le tapis*
1 bruitage → .... brui......
2 profiter → .... profi......
3 nuitée → .... nui......
4 créditer → .... crédi......
5 fruitier → .... frui......
6 rizière → .... ri......
7 outillage → .... outi......
8 paradisiaque → .... paradi......

9 SUFFIXE -erie

Je retrouve le nom du magasin. J'ajoute l'article.
J'achète de la viande dans *une boucherie*.

1 du pain dans ....
2 des gâteaux dans ....
3 du papier dans ....
4 du poisson dans ....
5 des bijoux dans ....
6 du parfum dans ....

10 GRAMMAIRE participes passés en [i] : i/is/it

a Je trouve le participe passé de chaque infinitif et je le classe dans le tableau.
finir, comprendre, dire, rire, écrire, traduire, sortir, mentir, mettre, s'asseoir, conduire.

-i	-is	-it
fini, ...	....	....
....	....	....

b Je complète avec les participes passés de ces verbes en -ir qui sont différents.
mourir : mort

1 offrir : ....
2 ouvrir : ....
3 lire : ....
4 venir : ....
5 tenir : ....
6 courir : ....

11 CONJUGAISON verbes en -ier

a Je souligne le mot qui se prononce différemment.

1 *étudie – étudies – étudient – étudiez*
2 remercient – remercier – remercies – remercie
3 vérifiez – vérifies – vérifie – vérifient
4 crier – criez – crie – crié

030 **b J'écoute pour vérifier.**

12 CONJUGAISON verbes en -ir(e) et en –ier

Je conjugue les verbes au présent.

1 *étudier*, lire, écrire, recopier. J'*étudie* le français, je ...., j'.......... et je ....
2 rire, dire, apprécier. Je ne .... pas quand tu .... une bêtise, je sais que tu n'.......... pas.

13 MOTS TRONQUÉS ET FAMILIERS

Je retrouve le mot d'origine.

un ampli → *un amplificateur*
1 mon ordi → ....
2 un psy → ....
3 un amphi → ....
4 une manip → ....
5 la clim → ....
6 le périph → ....
7 une manif → ....

14 HOMOPHONES

Je complète les phrases.

[pRi] (prix / prie) → *Il prie sur un tapis qui n'a pas de prix.*

1 [vi] (vit / vie) → Elle .... sa ....

2 [di] (dix / dis) → .... - moi .... mots.

3 [li] (lit / lis) → Tu .... le soir dans ton .... ?

4 [paRti] (parti / partie) → Une .... des membres du .... a démissionné.

15 HOMOPHONES alternance verbe / nom

J'écris le verbe et le nom.

(crier) Il crie d'un cri rauque.

1 (marier) Elle se .... et son futur .... est informaticien.

2 (skier) Il .... sur un seul ....

3 (trier) Ici, on .... Voici les règles du ....

4 (parier) Il .... beaucoup mais il a gagné un seul ....

C. J'écoute, j'écris, je dis

031 **16 DICTÉE** A1/A2 **J'écoute et j'écris. Puis je vérifie avec la transcription.**

....

....

....

032 **17 DICTÉE** B1/B2 **J'écoute et j'écris. Puis je vérifie avec la transcription.**

....

....

....

....

033 **18 LECTURE À VOIX HAUTE Je lis et j'écoute l'extrait du roman d'Erik Orsenna. Puis je le lis en même temps que le locuteur.**

« Ainsi commença pour moi l'habitude d'une petite cérémonie qui n'a jamais apporté que du bonheur : chaque dimanche soir, avant de m'endormir, je flâne quelques minutes au fond d'un dictionnaire, je choisis un mot inconnu de moi (j'ai le choix : quand je pense à tous ceux que j'ignore, j'ai honte) et je le prononce à haute voix, avec amitié. »

Erik Orsenna, *La grammaire est une chanson douce*, éditions Stock, 2001.

le son [y]

A. J'observe

Aux nouveaux étudiants

Les B.U. : un service culturel important

Sur le campus de l'université Grenoble-Alpes, les bibliothèques universitaires (B.U.) accueillent les étudiants tous les jours sauf le dimanche. On peut lire des revues, lire les nouveaux livres numériques ou télécharger de la musique, consulter le catalogue en ligne et bien sûr emprunter pour ses études des documents utiles pour une durée maximum de cinq semaines.

1 GRAPHIES

a **J'écoute et je lis le texte. Je souligne les [y] entendus. Quelles sont les graphies de [y] ?**

....

b **J'entoure les graphies avec la lettre "u" qui ne se prononcent pas [y]. Comment se prononcent-elles ?**

....

Tous les mots qui se terminent en « **-ue** » *(une revue, la bienvenue, une avenue)* sont féminins. *La vertu, la tribu* s'écrivent sans « **e** ».

2 ÉCRITURE

a **J'observe et j'écris la lettre « u ».**

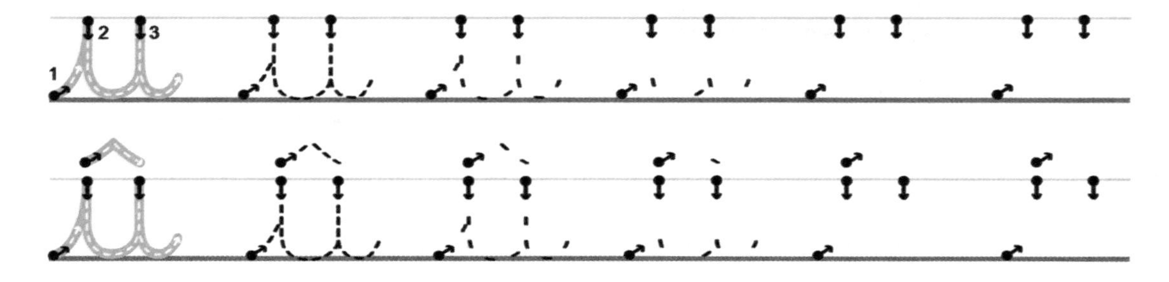

b **J'écris la phrase et j'ajoute les majuscules et la ponctuation si nécessaire.**

ulysse prépare minutieusement un voyage avec l'UNESCO* en uruguay ou en ukraine

....

*Les sigles sont toujours en majuscules : UNESCO, ONU.

3 MISE EN MOTS

Je sépare les mots et je recopie les phrases. J'ajoute des apostrophes, des majuscules et la ponctuation.

1 *jaivuunenfanttraverserbrusquementlarue* → *J'ai vu un enfant* ....

2 unvoyageurprudentnestpasunaventurier → ....

3 ilnyapasdemajusculeaprèslavirgule → ....

4 DISCRIMINATION déterminant masculin ou féminin

035

a J'écoute les mots et je complète avec « un » ou « une ».

1 *une pianiste* 2 .... enfant 3 .... touriste 4 .... juge 5 .... ministre 6....... philosophe.

b Je répète les mots.

036

5 **J'écoute et je complète avec les lettres « i », « u » ou « ou ».**

a « i » ou « u » : *la minute*, la m....s....que, la c....rc....lation, l'écr....t....re, la f....g....re

« u » ou « ou » : la c....t....re, l'h....m....r, la f....l....re, c....r...., une ....vert....re

037

b 1 Tu *loues* un st....dio m....n....sc....le, r....e de la s....rpr....se ?

2 L....c j....e rég....lièrement de la guitare.

3 La m....s....que, c'est ....nut....le ou très ut....le ?

4 C'est r....d....cule, t.... n'as pas tout vu !

5 T....t a dispar.... et t.... n'as rien v.... ?

B. Je crée des liens

6 PRÉFIXE sur (= excès, au-dessus de)

Je forme l'adjectif avec « sur ».

Ce PDG est *surmené*. Il est ....doué, ...diplômé, ...chargé de travail, ...endetté.

A-Z

7 SUFFIXE -u

J'écris l'adjectif à partir du nom.

tête → *têtu*, poil → ...., ventre → ...., barbe → ...., moustache → ...., bosse → ...., cheveu → ....

A-Z

8 SUFFIXE -ure

a Je trouve le nom à partir du verbe. J'ajoute l'article.

couper → *la coupure*, blesser → ...., user → ...., sculpter → ...., coiffer → ...., fermer → ...., ouvrir → ....

b Je coche la bonne réponse :

Les noms terminés par **-ure** sont : ❑ masculins ❑ féminins.

9 SUFFIXE -itude

a Je trouve le nom à partir de l'adjectif. J'ajoute l'article.

plat → *la platitude*, exact → ...., similaire → ...., solitaire → ...., apte → ...., las → ...., certain → ....

b Je coche la bonne réponse,

Les noms en **-itude** sont : ❑ masculins ❑ féminins.

10 CONJUGAISON le participe passé des verbes terminés par -oir(e)

a J'écris les phrases au passé composé et je note l'infinitif.

1 *Il sait parler russe. Il a su parler russe.* → *savoir*
2 Elle peut réussir. .... → ....
3 Il pleut sans interruption. .... → ....
4 Elle veut danser. .... → ....
5 Il reçoit une amie. .... → ....
6 On ne boit pas d'alcool. .... → ....
7 Il a une réponse positive. .... → ....

038

b J'écoute pour vérifier.

c Je complète la règle : Les verbes terminés par .... ont un participe passé en **[y]**.

11 HOMOPHONES

Je complète les phrases.

1 [dy] (du / dû) → Tu aurais .... venir à la fête .... village.
2 [syʀ] (sur / sûr) → Je suis .... que les billets sont .... la table.
3 [myʀ] (mur / mûr) → Il cueille des framboises bien .... derrière le ....

L'accent circonflexe (^) sur le « **u** » permet de différencier les mots. La prononciation des deux mots est identique.

12 MOTS VOISINS

a Je complète les phrases. → voir [u] et [i]

1 (tu / tout) → *Tu sais tout ce que je voulais te dire.*
2 (vu / vous) → .... avez .... ma nouvelle maison ?
3 (jure / jour) → Il lui .... chaque .... son amour.
4 (dure / dire) → Quelle est la phrase la plus .... à .... en français ?
5 (dure / doux) → Après une .... journée, le soir d'été est ....
6 (vie / vue) → Il a perdu la .... mais il est en ....

039

b J'écoute pour vérifier et je répète. Je distingue bien les mots avec [i], [y], [u].

C. J'écoute, j'écris, je dis

040 **14** DICTÉE A1/A2 **J'écoute et j'écris le texte. Puis je vérifie avec la transcription.**

....

....

....

....

041 **15** DICTÉE B1/B2 **J'écoute et j'écris le texte. Puis je vérifie avec la transcription.**

....

....

....

....

....

042 **16** LECTURE À VOIX HAUTE

A-Z

a J'écoute et je lis le poème de Jacques Prévert (1900-1977).

Escales
Il a jeté son encre
Aux îles Atoulu
Aux îles Atouvu
Aux îles Atousu
Aux îles Atouvoulu
Et terminé ses jours
aux îles Napavécu

Jacques Prévert, *Choses et autres*, Gallimard Folio, 1972.

b Je retrouve les mots cachés derrière le nom des îles.

....

....

....

....

....

....

le son [u]

1.4

A. Je découvre

Quand on tombe amoureux,
tout devient beau.
Un jour, on se rencontre, on se sourit,
on se fait les yeux doux,
on se donne un premier rendez-vous ...
c'est le coup de foudre.
L'amour fou... pour toujours.
Je suis roux, tu es douce.
On a les mêmes goûts. On partage tout.
On parle beaucoup.
Tout à coup, la vie devient plus joyeuse,
nous avons le sourire aux lèvres.
Nous avons un cœur pour deux.
Et tous les ans, en souvenir,
on retourne à l'endroit
où on s'est rencontrés...

1 GRAPHIES

a J'écoute et je lis le texte. Je souligne les [u] entendus.

b Quelles sont les graphies de [u] ? ....

c Quelles sont les autres graphies avec la lettre « o » ? Comment se prononcent-elles ?

....

2 ÉCRITURE

J'observe et j'écris les lettres « ou » sans accent ou avec accent.

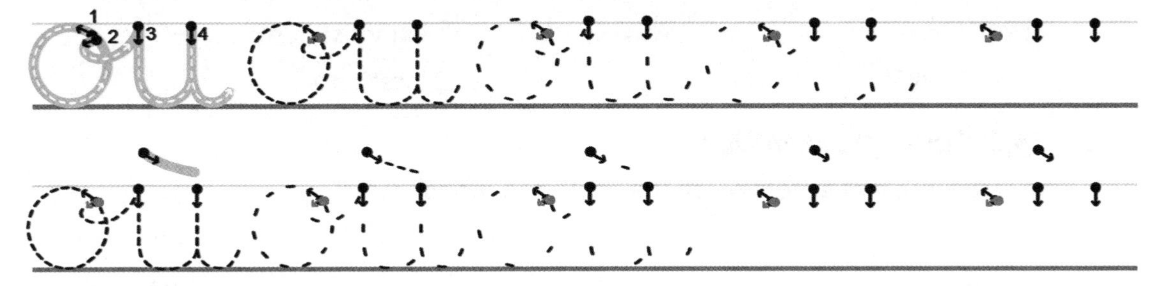

3 MISE EN MOTS

Je sépare les mots et j'écris la phrase.

1 J'aiunemotouniquepourtouslesjours. *J'ai une*..

2 Ilaoubliédejoueraulotoaujourd'hui. ....

3 Nousbougeonssouventlesmeublesduséjour. ....

le son [u]

044 **4** **DISCRIMINATION** « ou » / « on »

J'écoute et je complète.

1 *bouchon* 2 m.......t....... 3 b.......j.......r 4 b.......t....... 5 c.......c.......rs 6 bl.......s.......

B. Je crée des liens

045 **5** **CHOIX de la GRAPHIE** « ou », « eu », « œu »

J'écoute et je complète avec « ou », « eu », « œu ».

1 *Le mari de ma sœur est sourd.*

2 Il est drôle, il a beaucoup d'hum.......r. Il est toujours content, de bonne hum.......r.

3 Nous organisons une rencontre aut.......r de cet aut.......r et de son ....vre.

4 J'ai eu un c.......p de c.......r pour la c.......l.......r r.......ge de ce m.......ble.

046 **6** **MOTS EN SÉRIE**

J'écoute et je complète.

1 *soupe, loupe, coupe, groupe*

2 mou, ...

3 roux, ...

4 vous, ...

5 joue, ...

6 pour, ...

7 **D'UN MOT À L'AUTRE**

J'ajoute « o » pour faire un nouveau mot.

pu – un pou

1 une rue – une ....

2 une puce – un ....

3 dessus – ....

4 vus – ....

5 russe – ....

8 **D'UN MOT À L'AUTRE** « o » → « ou »

Je trouve le mot de la même famille avec « ou ».

folle, folie, fou

1 volonté, ...

2 col, collier, ...

3 total, totalité : ....

4 humoristique : ....

5 location : ....

9 **MOTS DE LA MÊME FAMILLE**

Je trouve le mot avec la consonne finale non prononcée.

tousser → *toux*...........

1 coûter → ....

2 goûter → ....

3 douceur → ....

4 lourde → ....

5 sourde → ....

10 **PRÉFIXE** sou / sous

Je forme le verbe ou le nom avec le préfixe.

1 *tenir – soutenir*, lever – ...., tirer – ....

2 estimer – *sous-estimer*, évaluer – ...., louer – ....

3 *un chef – un sous-chef*, un titre – ...., un pull – ....

11 **GRAMMAIRE** les sept mots au pluriel avec -oux

J'associe un mot à une photo et je le mets au pluriel : *chou*, caillou, bijou, pou, genou, hibou, joujou.

Les choux

1 ....

2 ....

3 ....

4 ....

5 ....

6 ....

Tous les autres mots terminés par « **ou** » prennent un « **s** » au pluriel : *les clous, les bisous, les cous, les trous, les sous*

12 **GRAMMAIRE** masculin / féminin

Je mets la phrase au féminin.

Mon époux est roux, jaloux, un peu sourd, mais tellement doux !

Mon *épouse* est ....

13 **CONJUGAISON** verbes en -ouer

a J'écris le verbe au présent.

1 Si tu *joues* tout le temps, tu éch............ à ton examen.

2 Je veux que tu av.................... que tu sous-l.................... ton appartement !

3 Si tu sec.................... trop ton sac, tu le tr.................... .

047

b J'écoute et je répète les phrases.

c Je coche la bonne réponse :

Les terminaisons verbales « **e**, **es**, **ent** » ❑ se prononcent ❑ ne se prononcent pas.

14 **HOMOPHONES**

Je complète avec « ou » (le choix) ou « où » (le lieu).

Où voulez-vous vous installer, ici *ou* là ?

1 Tu veux savoir d'........ il vient et .... il habite ?

2 Qui décide ? C'est .... toi .... moi. Il faut savoir .... nous allons.

3 .... allez-vous en vacances ? À la mer .... à la montagne ?

15 **HOMOPHONES**

Je complète les phrases.

[lu] (loup / Lou) → Elle s'appelle *Lou* et elle a peur du *loup*.

1 [bu] (boue / bout) → Il y a de la .... au .... de tes chaussures.

2 [ku] (cou / coup) → Il a reçu un .... sur le ....

3 [du] (doux / d'où) → .... vient ce pull en cachemire si .... ?

4 [tu] (tous / toux) → Pour la ...., ... ces sirops sont bons.

C. J'écoute, j'écris, je dis

048 **16 DICTÉE** A1/A2 **J'écoute et j'écris. Puis je vérifie avec la transcription.**

....

....

....

....

049 **17 DICTÉE** B1/B2 **J'écoute et j'écris. Puis je vérifie avec la transcription.**

....

....

....

....

050 **18 LECTURE À VOIX HAUTE**

J'écoute et je lis le poème de Robert Desnos. Je note les liaisons interdites et obligatoires et les enchaînements. Puis je le lis à voix haute.

Les Hiboux
Ce sont les mères des hiboux
Qui désiraient chercher les poux
De leurs enfants, leurs petits choux,
En les tenant sur les genoux.
Leurs yeux d'or valent des bijoux,
Leur bec est dur comme cailloux,
Ils sont doux comme des joujoux
Mais aux hiboux point de genoux
Votre histoire se passait où ?
Chez les Zoulous ? Les Andalous ?
Ou dans la cabane Bambou ?
A Moscou ou à Tombouctou ?
En Anjou ou dans le Poitou ?
Au Pérou ou chez les Mandchous ?
Hou ! Hou !
Pas du tout c'était chez les fous.

Robert Desnos, *Chantefables et Chantefleurs*,
Éditions Gründ, 1957.

les sons [o] et [ɔ]

A. Je découvre

1 GRAPHIES

a J'écoute et je lis le texte. Je souligne les mots avec [o] et [ɔ].

d'après : *Journal du pays Voironnais– n° 198*

Se déplacer à vélo, c'est possible !

Des chaudes journées du printemps aux jours de pluie de l'automne, le vélo est le moyen de transport idéal pour beaucoup d'entre nous ! Pour permettre aux habitants d'utiliser leur vélo au quotidien, le pays Voironnais fait des travaux pour proposer bientôt un réseau complet de pistes cyclables autour de la gare. Gratuit, écologique et bon pour la santé, le vélo n'est pas nouveau mais il revient à la mode.

b J'observe. Quelles sont les graphies de [o] et [ɔ] ? ....

c Dans quels mots la lettre « o » ne se prononce ni [o] ni [ɔ] ? J'entoure ces graphies. Comment se prononcent-elles ?

Journées → (*ou*) = [u] ....

d Je lis le texte à voix haute en même temps que le locuteur.

2 ÉCRITURE

J'observe et j'écris les lettres « o » et « au ».

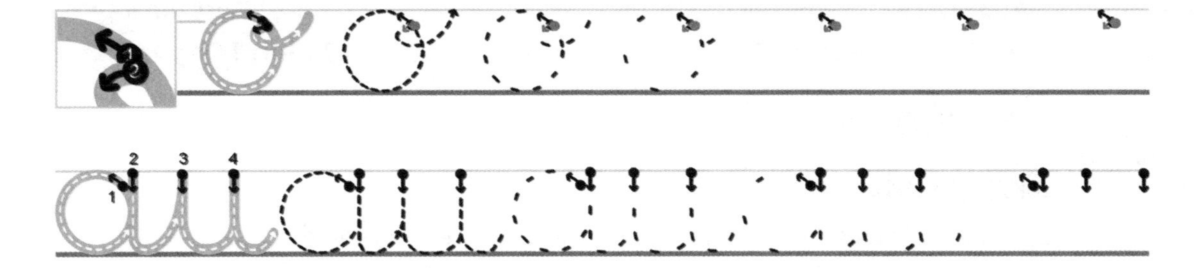

3 ÉCRITURE

J'écris la phrase et j'ajoute les majuscules et la ponctuation si nécessaire.

olivier part d'orange avec aurore à vélo pour aller d'abord à orléans et ensuite jusqu'en autriche

....

les sons [o] et [ɔ]

4 MOTS INVARIABLES

Je retrouve des mots invariables avec [o] et [ɔ] et je les recopie : *comme*, bientôt, sauf, trop, beaucoup, aujourd'hui, autour, aussi.

T	Ç	A	Z	B	P	D	I	Y	T
W	S	G	X	E	U	W	R	B	K
J	A	U	J	A	V	T	R	O	P
A	U	J	O	U	R	D'	H	U	I
U	F	V	P	C	N	Z	C	R	C
S	A	U	T	O	U	R	U	X	O
S	E	S	A	U	F	U	W	Ç	M
I	Ô	L	A	P	K	T	D	F	M
B	I	E	N	T	Ô	T	S	M	E

1 *comme*..........
2 ....
3 ....
4 ....
5 ....
6 ....
7 ....
8 ....

052

5 DISCRIMINATION

a J'écoute et je répète les deux mots.

053

b J'écoute encore. Je coche le mot que j'entends.

	[ɔ]	[o]
1	❑ pomme	☒ *paume*
2	❑ hotte	❑ haute
3	❑ sol	❑ saule
4	❑ sotte	❑ saute
5	❑ roc	❑ rauque
6	❑ colle	❑ khôl
7	❑ cotte	❑ côte
8	❑ notre	❑ nôtre
9	❑ votre	❑ vôtre

054

6 MOTS INVARIABLES

J'écoute et je répète avec l'intonation.

1 **Oh oh** ! Vous êtes où ? Je ne vous vois plus.
2 **Bof**, j'ai pas envie maintenant.
3 **Allô** ? Qui est à l'appareil ?
4 **Toc-to**c, y'a quelqu'un ?
5 **Hop** ! **Hop** ! **Hop** ! Dépêche-toi !
6 **Oh** ! Tu es déjà là ! Tu as fait vite ! C'est super !
7 **Alors** ? On y va ?

B. Je crée des liens

055

7 MOTS EN SÉRIE

J'écoute et j'ajoute les consonnes. Puis je répète les mots à voix haute.

1	2	3	4
*m*ot	....a....eau	....ort	....o....eau
....ot	....â....eau	....ort	....o....eau
....ot	....â....eau	....ort	....o....eau
....ot	....a....eau	....ort	....o....eau
....ot	....a....eau	....ort	
		....ort	

8 MOTS DE LA MÊME FAMILLE al → au

Je retrouve un mot de la même famille.

la chaleur : chaud

1 un (double) salto : ....

2 alter (ego) : ....

3 (la) valeur : Ça .... combien ?

4 salvateur : ....

5 falsifier : ....

6 (une) palme : ....

7 falloir : Il .... partir.

9 MOTS DE LA MÊME FAMILLE eau → el

a J'associe les mots de la même famille.

1 *un chapeau*	a belle
2 la peau	b un châtelain
3 un couteau	c une jumelle
4 un château	d peler
5 nouveau	e une coutellerie
6 beau	f *un chapelier*
7 un jumeau	g nouvelle

(1 — f)

beau → embellir

b Je trouve le verbe.

morceau → *morceler*

1 ruisseau → ....

2 ciseau → ....

3 peau → ....

4 niveau → ....

5 marteau → ....

6 nouveau → re...

10 MOTS DE LA MÊME FAMILLE

a J'écoute et je souligne le mot où la consonne ne se prononce pas.

1 [t] *un pot – la poterie – une potière – un potier*

2 [d] chaudement – chaude – chaud

3 [s] grosse – gros – grossir – la grossesse

4 [t] sauté – je saute – le saut – la sauterelle

5 [s] le dossier – le dos – adossé

6 [t] un robot – la robotique – robotiser

b Je complète avec la consonne finale muette. Pour la trouver, je pense aux mots de la même famille et aux langues voisines.

Ce nouveau robot a un petit défaut.

1 Avec ce gro.... pull, j'ai tro.... chau.... .

2 J'ai mis du siro.... d'abrico.... sur la tarte.

3 C'est idio.... : il fallait dire ça plus tô.... .

4 Place le po.... plus hau.... sur l'étagère.

les sons [o] et [ɔ]

11 SUFFIXE -eau

Je regarde les animaux et je complète la grille de mots croisés avec le nom de leur petit.

Le petit du bouc et de la chèvre est le chevreau.

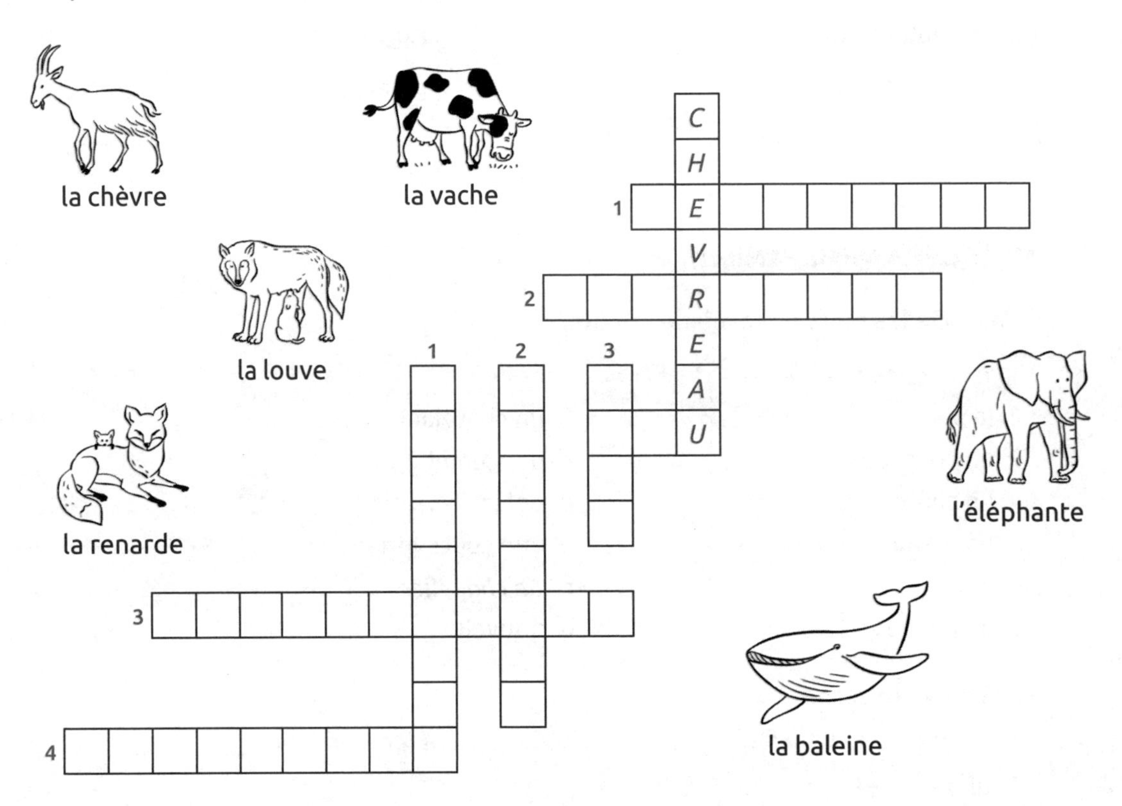

HORIZONTAL

1 Le petit du renard et de la renarde
2 Le petit de la souris
3 Le petit de l'éléphant et de l'éléphante
4 Le petit du loup et de la louve

VERTICAL

1 Le petit de la baleine
2 Le petit du lion et de la lionne
3 Le petit du taureau et de la vache

12 GRAMMAIRE

Je complète avec : à le, à la + voyelle → à l', à le(s) + consonne → au(x)

J'habite au centre ville. Mes enfants vont à l'école à pied.

1 À Grenoble, ... nord, il y a la Chartreuse, ... est la vallée du Grésivaudan, ... sud le massif de Belledonne et .... ouest le Vercors.

2 .... Jeux Olympiques, ... épreuve du marathon, il y a plus de 300 coureurs .... départ, mais tous ne continuent pas jusqu'.......... arrivée.

3 Ne reste pas .... soleil, mets-toi .... ombre.

4 Avant d'aller .... université, il faut aller .... lycée et réussir son bac.

5 Le juge va parler .... deux avocats, d'abord .... avocate du mari, puis .... avocat de la femme.

6 Je me couche en général .... alentours de minuit et je déjeune .... alentours de midi.

13 GRAMMAIRE al → aux

Je complète les phrases en mettant le mot souligné au pluriel.

J'achète mon journal chez le marchand de journaux.

1 Je pars à l'étranger. Je vais .... États-Unis.

2 Le lion n'est pas un animal comme les autres, c'est le roi des anim.......... .

3 Il préfère cet hôpital à tous les autres hôpit.......... de la région.

4 Je connais ce signal du code de la route mais je ne connais pas tous les sign.......... .

5 Cet artiste travaille le métal. Il utilise beaucoup de mét.......... différents.

14 GRAMMAIRE l'accord de l'adjectif : ales → aux

➡ voir [j] ail → aux

J'accorde l'adjectif.

Aux Jeux olympiques, on joue les hymnes (national) nationaux des athlètes médaillés.

1 Tous les Français sont *(égal)* .... devant la loi.

2 Quand on est malade, le pharmacien peut donner des conseils *(médical)* ....

3 Les délégués *(syndical)* .... ont rencontré la direction.

4 Le gouvernement a proposé des lois *(spécial)* .... pour surveiller les réseaux (social) ....

5 Nous avons organisé une rencontre *(amical)* .... pour une vente de produits *(local)* ....

15 ACCENTS ET AUTRES SIGNES

L'accent circonflexe (^) indique parfois un « s » qui a disparu. Ce « s » est resté en anglais ou en espagnol.

a Je retrouve le mot français.

1 En anglais :

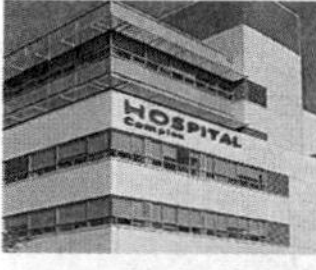

En français : un ....

2 En espagnol :

En français : la .... d'Azur

3 En espagnol :

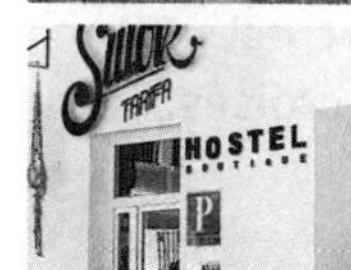

En français : un ....

b Dans chaque série, un seul mot s'écrit sans accent circonflexe (^). Lequel ? J'ajoute l'accent aux autres mots.

rôle – pôle – sole – contrôle

1 cone – zone – pylone – trone

2 atome – dome – diplome – chomage

les sons [o] et [ɔ]

16 ACCENTS ET AUTRES SIGNES

L'accent circonflexe (^) sert parfois à différencier deux mots à l'écrit. J'écoute la différence et j'ajoute l'accent si nécessaire.

1 *Ce n'est pas notre maison, la nôtre est un peu plus loin.*

2 Nous n'avons pas pris notre voiture. Nous irons avec la votre si vous voulez bien.

3 Pour de petites entreprises comme les notres, la situation économique est catastrophique.

4 Notre chambre est au premier étage et la votre au deuxième.

5 C'est le mien ou le votre ? – Ce verre-là, c'est le mien.

6 Ton jardin est bien entretenu. Le notre est plein de mauvaises herbes.

« **notre** » est un déterminant, « **la nôtre** » est un pronom.

17 MOTS TRONQUÉS ET FAMILIERS

a Je retrouve la forme courte plus familière.

a *automobile*
b vélocipède
c métropolitain
d microphone
e kilogramme
f biologique
g écologiste
h photographie
i exposition
j adolescent
k promotion
l météorologique
m informations
n stylographe

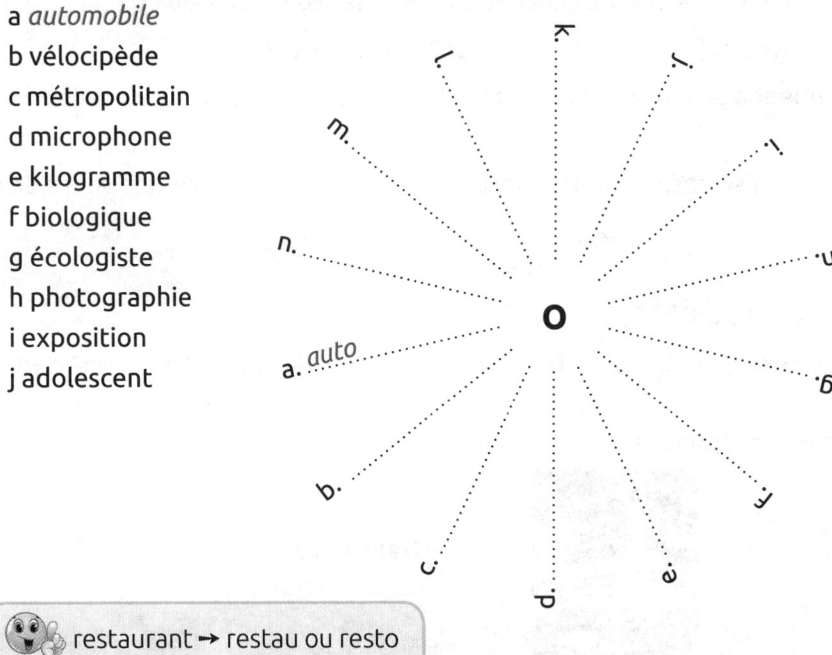

restaurant → restau ou resto

b Voici des mots de français familier. Je retrouve le mot d'origine et j'écris le texte.

Le proprio de mon appartement est à l'hosto. C'est un ancien dirlo, très intello, qui est toujours avec son dico pour ses exos de mots croisés. Comme je suis un bon mécano, je lui répare rapido son auto.

Le propriétaire ....

....

....

....

A-Z **18** **HOMOPHONES**

Je complète les phrases.

[o] *(eau / haut / au) → Il y a une fuite d'eau en haut, au second étage.*

1 [pɔʀ] (porc / port) → Sur le .... , on charge des .... sur un bateau.

2 [kano] (canot / canaux) → On ne peut pas naviguer en .... sur ces ....

3 [otœʀ] (hauteur / auteur) → Cet .... habite dans une villa sur les .... de Nice.

4 [so] (seau / saut / sot) → Il a fait un .... avec un .... à la main, quel .... !

5 [kɔʀ] (cor / corps) → J'aime le son du .... , j'ai des frissons dans le ....

C. J'écoute, j'écris, je dis

058 **19** **DICTÉE** A1/A2 **J'écoute et j'écris. Puis je vérifie avec la transcription.**

....

....

....

....

....

....

059 **20** **DICTÉE** B1/B2 **J'écoute et j'écris. Puis je vérifie avec la transcription.**

....

....

....

....

....

....

....

1.5 les sons [o] et [ɔ]

060 **21** LECTURE À VOIX HAUTE

Je lis la poésie avec une intonation expressive. Je souligne les graphies du [o] et du [ɔ]. Puis j'écoute la version proposée.

Le chameau de *Pierre Coran*

Un chameau entra dans un sauna.
Il eut chaud,
Très chaud,
Trop chaud.
Il sua,
Sua,
Sua.
Une bosse s'usa
S'usa,
S'usa.
L'autre bosse ne s'usa pas.
Que crois-tu qu'il arriva ?
Le chameau dans le désert
Se retrouva dromadaire.

Pierre Coran, *La tête en fleurs*,
éditions le Cyclope, 1972.

22 LECTURE / CULTURE

a Je cherche sur Internet et j'écris le nom du château sous sa photo : château de Chenonceau, château d'Azay-le-Rideau, château de Chambord, château de Vaux-le-Vicomte, château de Fontainebleau, château de Carcassonne.

a ....
....

b ....
....

c ....
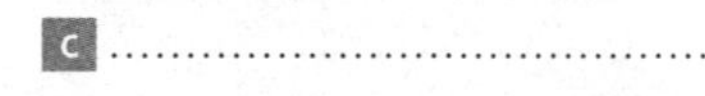

d ....
....

e ....
....

f ....
....

b De quel siècle datent ces châteaux ?

les sons [ø] et [œ]

1.6

A. Je découvre

Mon cher neveu,
Bonne année et bonne santé !
Que cette nouvelle année
t'apporte joie et bonheur !
J'espère te revoir bientôt.
Ta tante Eugénie

Coucou ma petite sœur !
Je te souhaite une heureuse année !
J'espère que tu pourras réaliser tout
ce que tu veux.
Bisous, Geneviève

Monsieur le Directeur,
En ce début d'année,
nous venons vous présenter
nos meilleurs vœux de
bonheur et de santé.
L'équipe des vendeurs

Salut mon vieux !
Qu'est-ce que je peux te souhaiter pour
la nouvelle année ? Plus de cheveux ?
Une dame de cœur ? Quelques voyages ?
De travailler moins et de te reposer plus
pour te sentir mieux.
Renaud

061 **1** **GRAPHIES**

a J'écoute et je lis les textes. Quelles sont les graphies de [ø] et de [œ] ?

....

b Dans quels mots la lettre « e » ne se prononce pas ? Je les barre.

Cette ....

c Je coche la bonne réponse :

En règle générale, en finale de mots, ❑ je prononce ❑ je ne prononce pas la lettre « **e** ».

d Dans quels mots, la lettre « e » ne se prononce pas [ø] ou [œ] ?
Je complète le tableau.

➥ voir [ɛ̃], [ɑ̃], [ɔ̃]

« e » + consonne prononcée = [ɛ]	« e » + accent : [e] ou [ɛ]	« et », « es », « er » : [e]	« en » : [ɑ̃] ou [ɛ̃]
cher, ...	....	....	....

e Je coche la bonne réponse et je complète :

- « **c + e** » se prononce ❑ **[k]** ou ❑ **[s]** : *cette*, ...
- « **g + e** » se prononce ❑ **[g]** ou ❑ **[ʒ]** : *Eugénie*, ...

2 **ÉCRITURE**

a J'observe et j'écris les combinaisons « eu » et « œu ».

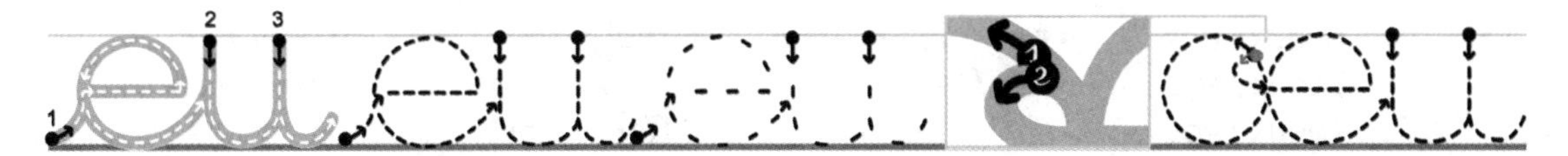

les sons [ø] et [œ]

b J'écris le résumé du roman de Balzac. J'ajoute des majuscules et la ponctuation.
eugénie grandet est une jeune femme qui se marie alors qu'elle est amoureuse d'un autre devenue veuve très tôt elle distribue sa fortune aux bonnes œuvres

....

....

3 MISE EN MOTS

Je sépare les mots et j'écris la phrase.

1 Elles'ennuieunpeuenattendantsessoeursavecleursamoureux.

....

2 Monneveuaeuunemotoetilenveutdéjàunedeuxième.

....

3 Ilporteunechemiseunieavecuneécharpebleue.

....

Le participe passé « **eu** » du verbe « **avoir** » se prononce **[y]**.

4 DISCRIMINATION

062

Je trace le chemin qui passe par les mots avec les sons [ø] et [œ]. J'écoute pour vérifier.

5 DISCRIMINATION

a J'écoute et j'entends un mot deux fois. Lequel ? Je le souligne.

[ø] / [o]		[œ] / [ɔ]	
1 *deux / dos*	4 peu / peau	6 seul / sol	9 peur / port
2 ceux / sot	5 feu / faux	7 meurt / mort	10 sœur / sort
3 veux / vos		8 fleur / flore	

064

b Présent [œ] ou passé composé [ɛ] ? J'écoute et je coche la phrase entendue.

	[œ]	[ɛ]
1 *Je finis maintenant. J'ai fini maintenant.*	X	
2 Qu'est-ce que je fais ? Qu'est-ce que j'ai fait ?		
3 Le temps se rafraîchit. Le temps s'est rafraîchi		
4 Je grossis ces temps-ci. J'ai grossi ces temps-ci.		
5 Ça se produit souvent ? Ça s'est produit souvent ?		
6 Je dis oui. J'ai dit oui.		

065

6 DISCRIMINATION

a J'écoute. J'entends [œ] ou [ø] ? J'écris le son en dessous.

une fleur bleue – une deuxième sœur – un cœur amoureux – une seule serveuse –

....

un jeu d'acteur – avoir un peu peur – un œuf et du beurre – les yeux bleus

....

b Je complète la règle :

> Je prononce « **une fleur bleue** » → [yn flœʀ blø]
> • quand la syllabe se termine par une voyelle, on prononce [.....].
> • quand la syllabe se termine par une consonne, on prononce [.....].

7 DISCRIMINATION

a J'entoure la lettre « e » quand elle se prononce [ø] ou [œ].

Mettre une *chemise* verte dans la valise – demander un petit service – terminer demain le dessin – remercier le personnel de l'entreprise – emmener le reste du dessert – avoir une blessure au genou – regarder les chevaux dans le pré de la ferme - recevoir le courrier en retard

b J'écoute pour vérifier.

8 DISCRIMINATION le « e » instable

Je lis et j'écoute les phrases. Je souligne les « e » prononcés et je barre les « e » non prononcés.

1 *Je te le prête jusqu'à demain.*

2 Il n'y a plus de place.

3 J'ai reçu mon abonnement samedi matin.

4 On se rappelle tout à l'heure.

5 Je lui ai dit de venir me voir.

6 Elle a mal au genou gauche.

7 En ce moment, j'ai trop de travail.

8 Je ne peux pas te le dire maintenant.

B. Je crée des liens

9 CHOIX DE LA GRAPHIE

a Je complète avec « e », « eu », « œ ».

Avoir le cœur sur la main. → c

1 S.... cr....ser la tête.

2 Avoir bon pied bon ....il.

3 Ne pas avoir froid aux y....x.

4 Dormir sur ces d....x oreilles.

a ne pas avoir peur

b être vigoureux, en bonne santé.

c *être généreux.*

d dormir paisiblement.

e réfléchir beaucoup.

b Je relie chaque expression avec sa définition.

10 CHOIX DE LA GRAPHIE

→ voir [o], [ɔ]

J'écoute et je complète avec « eu », « ou », « au », « eau ».

1 Le *faux* pompier a allumé des f......x ...... b......t de la rue.

2 Je v......drais un n......v...... j...... p......r mon nev...... .

3 Je mets ...... f......r ce gât...... ...... b......rre.

4 P......r cette grande chant......se il f......t des fl......rs de t......tes les c......l......rs.

5 Quand il est de m......vaise hum......r, il n'a ......cun hum......r.

11 MOTS DE LA MÊME FAMILLE

Je trouve un mot de la même famille et je prononce les deux mots.

a o → eu

horaire → *une heure*..............

cordial → un ....

solitude → ....

volonté → je ....

possibilité → je ....

avocat → un ....

odorat → une ....

mobilier → un ....

population → un ....

honorifique → un ....

colorier → une ....

favorable → une ....

b ou → eu

vous voulez → *tu veux*..............

vous pouvez → tu ....

vous mourez → tu ....

avouer → un ....

vigoureux → la ....

savoureux → la ....

nouveauté → ....

prouver → une ....

c J'écoute pour vérifier.

12 D'UN MOT À L'AUTRE

Je déplace le « e » pour faire un nouveau mot avec [ø] ou [œ].

une pelure → *il pleure* – une coiffure → un .... – une créature → un ....

la censure → un .... – une facture → un ....

une coulure → une .... – une dictature → un ....

13 GRAMMAIRE

a Je mets les adjectifs au féminin. Je prononce la phrase.

1 *Il est petit et très sympathique.* → *Elle est petite et très* ....
2 Mon père est grand, intelligent et timide. → Ma mère est ....
3 Ce livre est court mais très original. → Cette histoire est ....
4 Son fils est bavard, têtu et triste. → Sa fille est ....
5 Ce bijou ancien est très cher. → Cette bague ....

070 **b J'écoute pour vérifier.**

c Je complète avec les exemples de l'exercice.

- **Formes différentes à l'écrit et à l'oral :** *petit/petite,* ...., ...,
....................., ..., ...
- **Formes semblables à l'écrit et à l'oral :** *sympathique,* ...., ...
- **Formes différentes à l'écrit et semblables à l'oral :** *original/originale,* ....,
.... , ..., ...

d Je mets les adjectifs au féminin et inversement. Je prononce la phrase.

1 Un homme heureux, joyeux, amoureux, courageux…mais un peu peureux.
Une femme heureuse, ...
2 Une lettre délicieuse, chaleureuse, affectueuse, mais sérieuse et un peu ennuyeuse.
Un livre ....

071 **e J'écoute pour vérifier.**

La terminaison « **euse** » au féminin se prononce [øz]. La terminaison « **eux** » des adjectifs au masculin marque le singulier et le pluriel.

14 GRAMMAIRE eu → eux

Je mets le mot au pluriel.

un jeu → *des jeux* – un aveu → des .... – un lieu → des .... –
un cheveu → des .... – un neveu → des .... – un adieu → des .... –
un feu → des .... – un vœu → des .... – un dieu → des ....

Le pluriel des mots terminés par « **eu** » s'écrit avec un « **x** » sauf : *un pneu* → *des pneus, un foulard bleu* → *des foulards bleus*

15 CONJUGAISON

a Je conjugue au présent avec : je, tu, il, ils.

crier → *je crie, tu cries, il crie, ils crient* [kʀi] ....
1 jouer → ....
2 créer → ....

3 étudier → ....

4 continuer → ....

b Je coche la bonne réponse :

Les quatre formes à l'écrit sont différentes : ❑ oui ❑ non
Les quatre formes à l'oral sont différentes : ❑ oui ❑ non

16 SUFFIXE eur/euse – teur/trice – eur/eure

a Je regarde les photos. Je parle du métier dont ils rêvaient et de celui qu'ils ont fait.

Il voulait être un grand voyageur, il est devenu camionneur.

Elle voulait être une grande actrice, elle est devenue institutrice.

Quelques exemples de métiers :

1 **eur/euse :** serveur, danseur, chanteur, coiffeur, footballeur, metteur en scène, masseur, plongeur, pêcheur, programmeur

2 **teur/trice :** directeur, animateur, aviateur, réalisateur, dessinateur, cultivateur

3 **eur/eure* :** auteur, ingénieur, docteur, professeur

*La féminisation en « eure » est acceptée dans le monde francophone ainsi que dans les dictionnaires Robert et Larousse, mais n'est pas encore reconnue par l'Académie française.

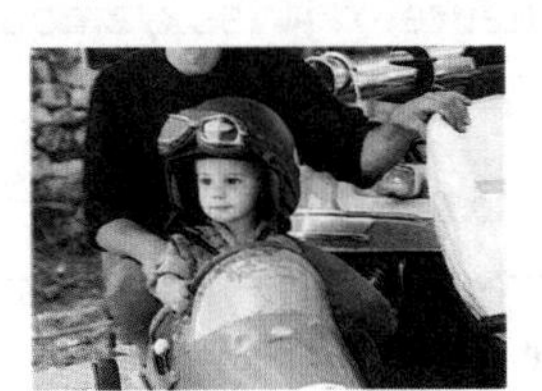

b Je trouve l'adjectif en eux/euse et je formule la question de deux manières puis j'échange avec la classe.

paresse, orgueil, courage, sérieux, ambition, nervosité, souci, bonheur/malheur,

Les étudiants sont-ils plus paresseux que les étudiantes ou les étudiantes sont-elles plus paresseuses que les étudiants ?

17 HOMOPHONES

Je complète les phrases.

1 [bɔnœʀ] (bonne heure / bonheur) → Elle se réveille de .... avec ....

2 [lœʀ] (l'heure / leur) → .... train est arrivé à ....

3 [kœʀ] (cœur / chœur) → Ils ont repris en .... le chant qu'ils connaissaient par ....

4 [vø] (vœu / veut) → Il .... faire un ....

5 [pø] (peu / peux) → Tu .... me servir un .... d'eau ?

6 [dø] (deux / d'œufs) → Donnez-moi .... douzaines ....

072 18 MOTS VOISINS

a J'écoute et je répète. Je distingue bien les mots en gras.

C'est un problème **d'heure.** / C'est un problème **d'or.**

Il sait faire un **feu.** / Il sait faire un **faux.**

Elle a de beaux **cheveux.** / Elle a de beaux **chevaux.**
Il **veut** un piano. / Ce piano **vaut** cher !
Je **veux** partir maintenant. / Je **vais** partir maintenant.
Ils méritent **des euros.** / Ils méritent **des zéros.**
L'enfant **se plaint.** / L'enfant **s'est plaint.**

b Je complète les phrases.

1 (horreur / horaire) → Quel est l'.................... de la séance pour ce film d'.................... ?
2 (colère / couleur) → Quand il est en .... , son visage devient de .... rouge
3 (nouveau / neveu) → Mon .... a trouvé un .... travail.
4 (gel / gelé) → Il a tellement .... qu'il y a du .... sur les vitres.

073 **c J'écoute pour vérifier et je répète avec le locuteur.**

C. J'écoute, j'écris, je dis

074 **19** **DICTÉE** A1/A2 **J'écoute et j'écris. Puis je vérifie avec la transcription.**

....
....
....
....
....
....

075 **20** **DICTÉE** B1/B2 **J'écoute et j'écris. Puis je vérifie avec la transcription.**

....
....
....
....
....
....
....
....
....
....

1.6 les sons [ø] et [œ]

076 21 LECTURE À VOIX HAUTE

J'écoute et je lis la lettre de Madame de Sévigné à sa fille. Je note les pauses (/) et je barre les « e » qui ne se prononcent pas. Puis je la lis à voix haute.

Lundi 9 février 1671

Je reçois vos lettres [...] Je fonds en larmes en les lisant ; il semble que mon cœur veuille se fendre par la moitié. [...]. Vous m'aimez, ma chère enfant, et vous me le dites d'une manière que je ne puis soutenir sans des pleurs en abondance ; vous continuez votre voyage sans aucune aventure fâcheuse. [...]. Vous vous amusez donc à penser à moi, vous en parlez, et vous aimez mieux m'écrire vos sentiments que vous n'aimez à me les dire. De quelque façon qu'ils me viennent, ils sont reçus avec une tendresse et une sensibilité qui n'est comprise que de ceux qui savent aimer comme je fais. [...] Rien ne me donne de distraction. Je suis toujours avec vous. Je vois ce carrosse qui avance toujours et qui n'approchera jamais de moi. Je suis toujours dans les grands chemins. Il me semble que j'ai quelquefois peur qu'il ne verse. Les pluies qu'il fait depuis trois jours me mettent au désespoir. Le Rhône me fait une peur étrange. J'ai une carte devant mes yeux ; je sais tous les lieux où vous couchez. Vous êtes ce soir à Nevers, vous serez dimanche à Lyon, où vous recevrez cette lettre.

077 22 LECTURE / CULTURE

J'écoute et je lis le texte. Je souligne les graphies du [œ] et je barre les « e » non prononcés.

La Chandeleur se fête le deux février, au cœur de l'hiver, quarante jours après Noël. La Chandeleur est une ancienne fête. Les Romains défilaient dans les rues, avec des chandelles à la main en l'honneur du dieu Pan, le dieu de la Nature. Elle est devenue ensuite une fête religieuse chrétienne. Les paysans faisaient des crêpes, avec des œufs, de la farine et du lait. Pour avoir une bonne récolte et assurer le bonheur à sa famille, il fallait faire sauter la première crêpe de la main droite avec un Louis d'or dans la main gauche.

les sons [e] et [ɛ]

1.7

A. Je découvre

Le calendrier des Français : les nouvelles et les anciennes fêtes

1 **Le 6 janvier** pour **l'épiphanie** – la fête des rois – on mange de la galette.

2 **Le premier mai : la fête du travail** ! On offre un brin de muguet pour porter bonheur aux êtres qui nous sont chers.

3 **Le dernier vendredi de mai, la fête des voisins** réunit les habitants du quartier autour d'un apéritif pour créer des liens comme dans le passé.

4 **Le 14 juillet**, on célèbre **la fête nationale** avec un défilé sur les champs Élysées, un feu d'artifice et un bal populaire.

5 Depuis **1984, les journées du patrimoine** se déroulent la troisième semaine de septembre. On peut visiter par exemple le palais de l'Élysée et voir le Président de la République.

6 **Le 1er novembre** pour **La Toussaint**, on dépose des bouquets de fleurs dans les cimetières.

7 **Le 25 décembre** pour **Noël**, on fait le réveillon et le père Noël, même s'il neige, apporte des cadeaux près de la cheminée.

1 GRAPHIES

a J'écoute et je lis le texte. Quelles sont les graphies des sons [e] et [ɛ] ?

....

b J'associe chaque photo à une fête.

2 ÉCRITURE

a J'observe et j'écris.

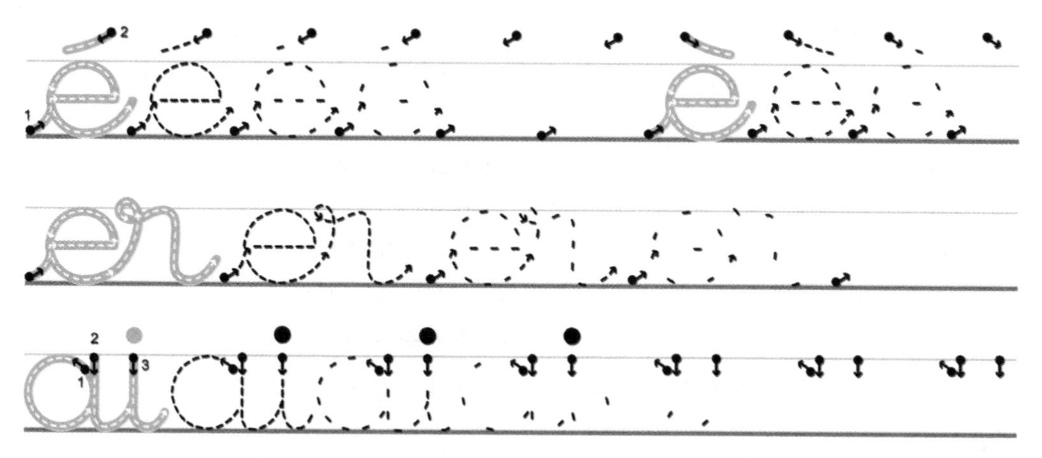

Les sons [e] et [ɛ]

b J'écris la phrase et j'ajoute les majuscules si nécessaire et la ponctuation.
éléonore et étienne font le tour de l'europe avec leur amie hélène en commençant par l'espagne

....

....

079 **3** **SYLLABATION**

J'écoute. Je sépare les mots en syllabes phonétiques et je note les sons [e] ou [ɛ].
je préfère – nous préférons – un père sévère – une crème légère

Je pré/fère
[e] [ɛ]

une thèse réussie – une propriété privée – une célèbre couturière

....

....

Quand la syllabe phonétique se termine par une **voyelle** et que j'entends **[e]**, j'écris « **œ** ». Quand elle se termine par une **consonne** et que j'entends **[ɛ]**, j'écris « **è** » : *je préfère* = [ʒəpʀe-fɛʀ]

080 **4** **DISCRIMINATION**

a J'entends les deux formes. Je distingue [ø] et [ɛ] par le son et par la graphie.

1 ☒ *Je veux manger.* ☐ Je vais manger.
2 ☐ Je veux me reposer. ☐ Je vais me reposer.
3 ☐ Je finis. ☐ J'ai fini.
4 ☐ Je ris. ☐ J'ai ri.
5 ☐ Il se plaint. ☐ Il s'est plaint.
6 ☐ Elle se fait belle. ☐ Elle s'est fait belle.

081 **b J'entends une seule forme, laquelle ? Je coche (dans 4 a) et je répète.**

082 **5** **DISCRIMINATION**

a J'entends les deux formes. Je distingue [œ] et [e] par le son et la graphie.

1 ☒ *le livre* ☐ les livres
2 ☐ le président ☐ les présidents
3 ☐ ce sac ☐ ces sacs
4 ☐ ce bouquet ☐ ces bouquets
5 ☐ deux jeunes filles ☐ des jeunes filles
6 ☐ deux nouvelles ☐ des nouvelles

083 **b J'entends une seule forme, laquelle ? Je coche (dans 5a) et je répète.**

Les Français font de moins en moins la différence entre **[e]** et **[ɛ]** en syllabe ouverte.

B. Je crée des liens

6 CHOIX DE LA GRAPHIE

a J'ajoute les accents sur le « e » : aigu (é), grave (è) ou circonflexe (ê).

1 Les *étudiants* sont en greve pour reclamer l'arret de la selection à l'entree de l'universite.
2 J'achete des epinards et de la creme pour preparer un souffle pour la fete de l'ete.
3 Elle a beaucoup d'interet pour la foret et espere etre un jour garde forestiere.

b Je complète le texte avec é, è, et, er, est, ê, ai, ei

Pour *être* vr....ment honn....te, je v....s avou.... un secr.... bien gard.... . J'.... r....alis.... un vieux r....ve : j'.... achet.... une propri....t.... au milieu de la for.... en pl....ne r....gion parisi......nne. C'.... une b....lle m....son enti....rement r....nov....e, un vr.... pal....s.

7 CHOIX DE LA GRAPHIE

Je choisis et je complète la phrase.

rêve / rêver / rêvé → *J'ai longtemps rêvé de visiter le Japon et ce rêve devient réalité. Il faut toujours rêver.*

1 souhait / souhaiter / souhaité → Mon .... le plus cher est de rencontrer le réalisateur de ce film. J'ai toujours .... faire du cinéma. Je continue de le .... vivement.

2 travail / travailler / travaillé → Il a toujours beaucoup .... Maintenant il voudrait arrêter de ...., même s'il aime toujours son ....

3 voyage / voyager / voyagé → C'est notre premier .... Nous n'avons jamais .... Avant, on ne pouvait pas .... aussi facilement.

8 D'UN MOT À L'AUTRE

a Je lis à voix haute. J'entoure « er » = [e] et je souligne « er » = [ɛʀ].

1 *Hier*, j'ai acheté un nouveau cahier.
2 Il faut chercher un hôtel moins cher.
3 L'hiver va bientôt arriver.
4 Il ne faut pas rater ton master.
5 Tu peux faire* chauffer le fer à repasser.

084 **b J'écoute pour vérifier.**

***verbe faire :** « **ai** » se prononce **[œ]** dans : *nous faisons, en faisant, je faisais, faisable.*

9 D'UN MOT À L'AUTRE

a Je trouve le mot de base avec [ɛ].

1 salin, salière, saler → *le sel*
2 fraternel, fraternité → ....
3 maternel, maternité → ....
4 paternel, paternité → ....
5 maritime, marin → ....
6 savoir, nous savons → ....

b « é/aire ». Je trouve l'adjectif à partir du nom et je complète la phrase.

L'université : Il étudie à l'université et il habite sur le domaine universitaire.

1 la priorité : Il faut respecter ...., cette route est ....

2 la sécurité : La politique .... de la ville n'améliore pas ....

10 SUFFIXE -er ⟷ ère, et ⟷ ète

a Je mets la phrase au féminin.

Le fier étudiant étranger est allé chez le boulanger gaucher acheter du pain.

....

b Je mets la phrase au masculin.

Depuis la première soirée, elle est discrète, secrète, toujours inquiète et pas du tout concrète.

....

11 SUFFIXE -esse

a Je forme le mot avec le suffixe à partir de l'adjectif.

vieux, vieille → *la vieillesse* 1 jeune → .... 2 riche → ....

3 gentil(le) → .... 4 petit(e) → .... 5 tendre → ....

6 (mal)adroit(e) → .... 7 faible → ....

b Je coche la bonne réponse :

Le mot est formé sur la forme ❑ masculine ou ❑ féminine de l'adjectif.
Les mots terminés par « **-esse** » sont ❑ masculins ❑ féminins.

12 SUFFIXE -ée

a Je trouve le mot qui exprime la contenance, la quantité.

une bouche → *une bouchée* 1 une cuillère → .... 2 un soir → ....

3 un matin → .... 4 un jour → .... 5 un an → ....

Les mots avec le suffixe **-ée** sont féminins. Quelques mots terminés par **-ée** sont masculins : *le musée, le lycée, l'apogée.*

13 GRAMMAIRE [kɛl]

a Je complète avec quel, quelles, quels ou quelles.

Quel est votre âge ? 1 .... est votre nationalité ? 2 .... langues vous parlez ? 3 .... sport vous pratiquez ? 4 .... livres vous lisez ?

b Je complète avec quel, quelle ou qu'elle(s).

1 Il faut *qu'elle* vienne me voir à n'importe .... heure. 2 .... sont ses intentions ? 3 Vraiment je ne sais pas ce .... veut faire. 4 .... jour reviennent-elles ? Et pensez-vous .... seront de retour à temps ? 5 .... règle !!! Je croyais .... était plus facile !

Les quatre formes du mot interrogatif se prononcent de la même façon. On entend seulement la variation pluriel/singulier quand il y a une liaison avec un mot commençant par une voyelle : *Quelle idée !* [kɛlide] *Quelles idées !* [kɛlzide]

14 GRAMMAIRE le participe passé

a J'accorde le participe passé.

Le train est *arrivé*. Elles ont quitt.... la gare avec leurs valises et les ont dépos.... à la consigne. Elles sont all.... à l'arrêt de bus, ont achet.... un ticket. Elles étaient press.... .

Le participe passé, conjugué avec « être » s'accorde avec le sujet. Conjugué avec « avoir », il s'accorde avec le complément d'objet s'il est placé avant.

b J'accorde le participe passé des verbes pronominaux.

Ils se sont *rencontrés*, se sont li.... d'amitié, se sont téléphon.... souvent, puis se sont fâch.... et ne se sont plus parl.... .

Verbes pronominaux : construction directe (rencontrer qqn) → le participe passé s'accorde avec le sujet *(ils se sont rencontrés).*
Construction indirecte : (téléphoner à qqn) → le participe passé ne s'accorde pas avec le sujet *(ils se sont téléphoné).*

15 CONJUGAISON tu → vous

a Je prononce et j'écris la question. Attention à la liaison.

1 *Tu habites où* → *Vous habitez #où ?*
2 Tu t'appelles comment ? → ....
3 Tu es venu en France pour quelle raison ? → ....
4 Tu habites en France depuis quand ? → ....
5 Tu parles combien de langues ? → ....

b J'écoute pour vérifier.

c Je complète avec les verbes conjugués :

Pour tous les verbes, avec **vous** , la terminaison verbale est « **ez** » sauf pour trois verbes « être » : vous .... , « faire » : vous .... , « dire » : vous ....

16 CONJUGAISON verbes en « e/er » → alternance [ɛ]/[œ]

a Je conjugue les verbes au présent.

	je, tu, il, ils → [ɛ] = « è »	nous, vous → [œ] = « e »
1 (con)geler	*je gèle, tu gèles, il gèle, ils gèlent*	*nous gelons, vous gelez*
2 acheter	....	....
3 amener	....	....

Les sons [e] et [ɛ]

	[ɛ] = « e » + 2 consonnes	[œ] = « e »
4 appeler	*j'appelle, tu appelles, il appelle, ils appellent*	*nous appelons, vous appelez*
5 jeter	....	....
6 épeler	....	....

b Verbes en é, -er → alternance [e], [ɛ]

	je, tu, il, ils → [ɛ] = « è »	nous, vous → [e] = « é »
7 répéter	*je répète, tu répètes, il répète, ils répètent*	*nous répétons, vous répétez*
8 préférer	....	....
9 espérer	....	....

c J'écoute pour vérifier.

Les verbes avec « **ê – er** » *(arrêter / fêter / rêver / prêter / gêner / empêcher)* : il n'y a pas de changement dans l'écriture mais la prononciation change.

17 ACCENTS ET AUTRES SIGNES

a J'ajoute les accents et je trouve l'intrus dans chaque ligne. Je le souligne.

après – progrès – succès – canapés

1 discrete – tete – fete – prete

2 propriete – elegance – eleve – generation

3 theatre – seance – cinema – scene

4 creme – systeme – meme – dixieme

Il n'y a jamais d'accent sur « **e** » devant deux consonnes *(la terre)* et devant « **x** » *(un réflexe)*. J'entends **[ɛ]** en fin de mot : j'écris « **ès** » *(un progrès)* ou « **êt** » *(une forêt)*.

b Je choisis la forme qui convient.

marche / marché → *On marche beaucoup quand on fait le marché.*

1 étudie / étudié → Qu'est-ce qu'il .... ? Il a beaucoup .... déjà.

2 groupe / groupé → Le guide demande au .... de rester ....

3 entre / entré → Il est .... par cette porte .... les deux immeubles.

18 ACCENTS ET AUTRES SIGNES

a Je trouve un mot de la même famille que le mot souligné. Je n'oublie pas l'accent circonflexe (^).

Cette route forestière traverse toute la forêt.

1 Ce film est très intéressant. Je l'ai regardé avec ....

2 Nous avons festoyé toute la nuit pour la .... de la Saint Martin.

3 Il a acheté une veste et d'autres ....

4 Toutes les .... n'ont pas un instinct aussi bestial.

5 La police l'a .... mais il ne se souvient plus de son arrestation.

L'accent circonflexe sur « **e** » vient souvent d'un ancien « **s** » qui a disparu.

b À partir du mot anglais, je trouve le mot français qui commence par « é- » ou « es- ». J'ajoute l'article. Je le prononce. Je n'oublie pas la liaison.

a stranger → *un étranger* – a student → .... – a state → ....
a spirit → .... – space → .... – a screen → ....
a school → .... – Spain → ....

087 **c J'écoute pour vérifier.**

19 HOMOPHONES

Je complète les phrases.

[fɛt] (fête / faites) → *Où faites-vous la fête à Lyon ?*

1 [ɛ] (ai / es / est) → Il .... 8 heures, tu .... en retard et je n'.............. pas les clés !

2 [mɛʀ] (mer / maire / mère) → Le .... de Brest habite au bord de la .... à côté de chez ma ....

3 [pʀɛ] (près / prêt) → Tu es .... ? Prends la valise qui est .... de la fenêtre.

4 [mɛ] (mais / mets / m'est / mai) → Ça .... égal, je ne .... pas de nappe .... je fais un bon repas pour le 1er ....

5 [ne] (nez / né) → Il est .... avec un grand ....

6 [sɛ] (sait / c'est / s'est) → Il .... trompé, il ne .... pas de quoi il parle, ... évident.

20 MOTS VOISINS

➡ voir [b], [s/z], [l/ʀ]

a Je complète avec les mots voisins.

1 (infirmier / un fermier) → *L'infirmier doit aller soigner un fermier blessé*

2 (marie / maire) → Elle se .... devant Monsieur le ....

3 (varie / vraie) → Son histoire n'est pas .... Sa version .... à chaque fois.

4 (immigrer / émigrés) → Certains .... souhaitent .... en Europe.

5 (pré / près) → Il habite .... du grand ....

088 **b J'écoute pour vérifier et je répète.**

C. J'écoute, j'écris, je dis

089 ## 21 DICTÉE A1/A2 J'écoute et j'écris la lettre. Puis je vérifie avec la transcription.

....

....

....

....

....

1.7

Les sons [e] et [ɛ]

090 **22** DICTÉE B1/B2 **J'écoute et j'écris cette lettre. Puis je vérifie avec la transcription.**

....

....

....

....

....

091 **23** LECTURE À VOIX HAUTE

J'écoute et je lis cet extrait du roman d'Amélie Nothomb, écrivaine belge. Je note les pauses (/) et les liaisons obligatoires et facultatives. Puis je lis le texte à voix haute.

Elle fréquentait les gens de son âge aux soirées de la ville, elle n'en manquait pas une. Il y avait une fête presque chaque soir pour qui connaissait du monde. Après une enfance calme et une adolescence ennuyeuse, la vie commençait. « Désormais, c'est moi qui compte, c'est enfin mon histoire, ce n'est plus celle de mes parents, ni de ma sœur. » [...] Elle trouvait grisant d'attirer les regards, d'être jalousée des autres filles, de danser jusqu'au bout de la nuit, de rentrer chez elle au lever du jour, d'arriver en retard au cours. « Marie, vous avez encore fait la vie, vous » disait à chaque fois le professeur avec une fausse sévérité. Les laiderons qui étaient toujours à l'heure la contemplaient rageusement. Marie éclatait de son rire lumineux.

Amélie Nothomb, *Frappe-toi le cœur*, éditions Albin Michel, 2017.

092 **24** LECTURE / CULTURE

a J'écoute et je lis à voix haute.

Claude Monet est né à Paris en 1840. Il va étudier très vite la peinture, encouragé par son père. Son départ en Algérie pour le service militaire arrête ses études. De retour à Paris, il est confronté à des difficultés financières. Il présente, en 1872, le tableau *Impression, soleil levant* et va être le créateur de l'impressionnisme. Ses œuvres commencent à avoir du succès. Sa renommée lui apporte la richesse. Il achète la propriété de Giverny en 1890. Il peint le même sujet sous des conditions différentes de lumière, à différentes heures de la journée. Il transforme son jardin avec des jardiniers en semant des graines partout. Il le peindra sans cesse. Il laisse une œuvre considérable, plus de 2000 toiles. Il décède en 1926.

La maison de Monet à Giverny

b Je complète avec des mots du texte.

Claude Monet est *né* en 1840 et .... en 1926. On le considère comme le .... de l'impressionnisme. Il peint sans .... le .... sujet sous des ....

le son [ɔ̃]

A. Je découvre

Construire les routes de demain

Intégrer un programme de formation de l'École des Ponts ParisTech est l'occasion de rencontrer des étudiants et des chercheurs de nombreuses nationalités. En contact avec le monde de l'entreprise, ces étudiants en master génie civil et construction sont les futurs ingénieurs qui construiront les routes, les ponts et toutes les voies de communication. Ils sont reconnus à l'international pour leurs fortes compétences scientifiques.

093 **1** **GRAPHIES**

a J'écoute et je lis le texte. Je souligne les [ɔ̃] entendus.

b Quelles sont les graphies de [ɔ̃] ? ....

c Quels sont les mots où « o + n » et « o+ m » ne se prononcent pas [ɔ̃] ?

natio̲n̲alités, ...

2 **ÉCRITURE**

J'observe et j'écris la lettre « o » liée avec la lettre « n ».

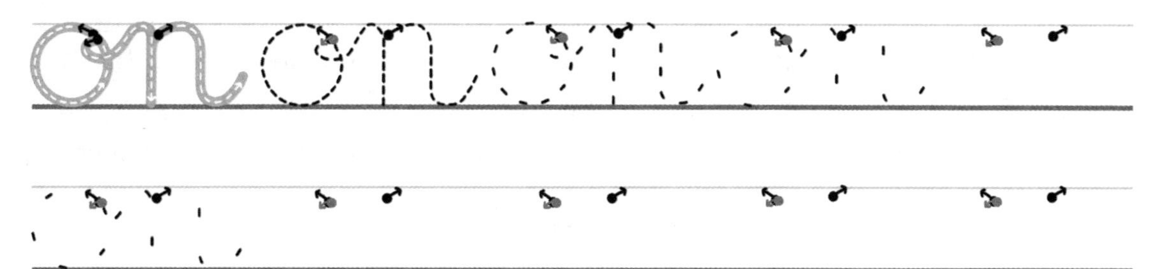

 **3** **DISCRIMINATION ET SYLLABATION**

a Je lis [ɔn] ou [ɔ̃] ? Je souligne les [ɔ̃]. J'écoute pour vérifier.

migno̲n̲, mignonne / bonne, bon / pâlichon, pâlichonne / bonbon, bonbonne / Bretonne, Breton / Gascon, Gasconne / Bourguignonne, Bourguignon / piéton, piétonne

 **b J'écoute et je complète avec « bon » ou « bonne ».**

Bon appétit ! .... dimanche ! .... année ! .... anniversaire ! .... voyage ! .... journée ! .... chance ! .... rétablissement !

c Je coche la bonne réponse :

Quand il y a une liaison au masculin avec le mot suivant, « **bon** » se prononce ❑ **[bɔ̃]** ou ❑ **[bɔn]**

1.8 le son [ɔ̃]

B. Je crée des liens

4 **DISCRIMINATION ET SYLLABATION** [ɔ̃] / [ɑ̃]

J'écoute et j'écris la graphie selon le son entendu.

on/an	on/en	on /an	on/en
1 *rond – rang*	4 f......d – f......d	7 r......ce – r......ce	10 p......ce – p......se
2 t......t – t......	5 v......t – v......t	8 l......ge – l......ge	11 t......te – t......te
3 s...... – s......g	6 l......g – l......t	9 r......ge – r......ge	12 f......te – f......te

5 **D'UN MOT À L'AUTRE**

a J'ajoute « n » pour faire un nouveau mot. J'enlève l'accent circonflexe.

pot → *le pont*, mode → ...., mot → ...., sot → ....,
hôte → ...., dos → ...., loge → ...., rôde → ....

b Je complète la phrase : j'écris un nouveau mot formé avec les lettres du mot en gras.

Son fils passe les vacances avec nos enfants.

1 Nous **aimons** beaucoup cette .... en bois.

2 J'écris **mon** .... sur la fiche d'inscription.

3 Monsieur l'avocat, nous vous **prions** de tout faire pour nous éviter la ....

6 **MOTS EN SÉRIE**

a Je complète avec « on » ou « om ».

montre	gr.....de	b.....be	c.....pte	tr.....pe
ombre	m.....de	t.....be	m.....te	p.....pe
n.....bre	s.....de	col.....be	c.....te	interr.....pre
s.....bre	r.....de	pl.....be	f.....te	p.....pe

b Je complète l'histoire avec « on » ou « om ».

Dans la forêt *profonde*, à l'.....bre des arbres, il y a une mais..... s.....bre. On peut entrer, m.....ter, mais attenti..... à ne pas t.....ber. On rac.....te qu'un drag..... habite là et qu'il gr.....de la nuit. ..... se tr.....pe. C'est le s..... des n.....breuses col.....bes cachées dans les c.....bles.

c Je complète la règle :

Devant « **p** » et « **b** », la lettre « **n** » → « ...... », sauf : un bonbon, une bonbonnière.

7 **MOTS DE LA MÊME FAMILLE**

a Je trouve la consonne finale qui ne se prononce pas.

rondeur → *rond*

1 longue → lon....
2 blonde → blon....
3 la profondeur → profon....
4 une montagne → un mon....
5 bondir → un bon....
6 les fondations → le fon....

b J'ajoute une consonne finale si nécessaire.

1 *Gaston* est un garçon.... blon.... toujours au fon.... de la classe. Il porte toujours un lon.... pull en coton.... et un blouson.... marron.... .

2 Ils son.... partis avec de très gros sacs à dos faire une excursion.... autour du Mon.... Blanc et on.... leur a dit un seul mot « bon.... voyage ».

A-Z **8** **MOTS DE LA MÊME FAMILLE** [ɔ̃] → [ɔn]

Je trouve le mot de la même famille en [ɔ̃] et je complète la phrase.

1 Ce prisonnier a passé beaucoup de temps en *prison*.

2 J'ai été ému quand elle m'a demandé .... Je lui ai tout pardonné.

3 Ce millionnaire donne beaucoup d'argent à des associations. Il fait un .... chaque année.

A-Z **9** **PRÉFIXE** con / com

Je complète avec « con » ou « com » et je retrouve le verbe.

prendre → *comprendre*

1 tenir → ....

2 battre → ....

3 presser → ....

4 fier → ....

5 poser → ....

A-Z **10** **SUFFIXE** -ation

a Je complète avec -ation.

consulter → *la consultation*

1 informer → ....

2 expliquer → ....

3 attester → ....

4 communiquer → ....

5 imiter → ....

6 coopérer → ....

b Je coche la bonne réponse :

Les mots terminés par « **-tion** » sont ❑ masculins ❑ féminins.

11 **GRAMMAIRE** les adjectifs possessifs

a Je change « mon » avec « ton » puis « son ». Puis je prononce et je fais attention à la liaison.

1 *mon‿homme, mon mari, mon‿ami, mon petit‿ami, mon‿enfant, mon chéri, mon‿amour, mon cœur, mon‿histoire*

2 ton homme, ...

3 son homme, ...

097 **b J'écoute pour vérifier.**

1.8 le son [ɔ̃]

12 CONJUGAISON

a Je conjugue à la première personne du pluriel. Je souligne les liaisons après « nous » devant voyelle ou « h » muet.

1 *Suivre des cours, apprendre, passer des examens* → *Nous suivons des cours, nous‿apprenons, nous passons des examens.*

2 Entrer dans un restaurant, s'asseoir, commander, manger, payer : ➡ voir [ʒ]

....

3 Aller au cinéma, prendre un billet, choisir une place, commencer à regarder le film : ➡ voir [s]

....

4 Travailler, gagner de l'argent, partir en vacances, découvrir un nouveau pays :

....

5 Voyager, écrire des cartes postales, acheter des souvenirs, habiter un nouveau pays :

....

6 Aimer, écouter des disques, jouer du piano, chanter, hurler :

....

b Je prononce les phrases et j'écoute pour vérifier.

Pour tous les verbes, avec **nous** → la terminaison verbale est « **ons** » sauf le verbe « être » : nous sommes.

c Je transforme les phrases avec le pronom"on" et je fais la liaison si nécessaire puis j'écoute pour vérifier.

1 *On suit, on‿apprend, on passe des examens.*

« **On** » remplace de plus en plus « **nous** » dans le français familier.

13 CONJUGAISON

Je conjugue avec « ils » au présent les verbes être, avoir, aller, faire.

Être malade, avoir froid, aller chez le docteur → *Ils sont malades, ils ont froid, ils vont chez le docteur.*

1 Aller au cinéma, faire la queue, être avec des amis → ....

....

2 Être en vacances, avoir le temps, faire la sieste → ....

....

3 Avoir envie de manger des légumes, aller au marché, faire la cuisine → ....

....

4 Être marié, avoir quatre enfants, faire de grandes courses, aller au supermarché → ....

....

Au présent, tous les verbes à la 3ème personne du pluriel se terminent par « **ent** » sauf : ils sont, ils ont, ils vont, ils font.

14 CONJUGAISON

Je conjugue au futur.

1 Nous vous *(appeler)* *appellerons*, c'est promis, dès que nous *(arriver)* ....

2 Ne nous précipitons pas, nous *(envoyer)* .... tout demain, sinon nous *(devoir)* .... tout recommencer.

3 Ils *(venir)* .... quand ils le *(pouvoir)* ....

4 Nous vous *(téléphoner)* .... dès que nous *(recevoir)* .... votre visa. Nous l'(obtenir) .... dans une semaine.

5 Dès que nous *(être)* .... dans l'avion, nous *(oublier)* .... tous nos soucis !

15 HOMOPHONES

Je complète avec « on » ou « ont ».

On a attendu nos amis mais ils ont oublié de venir.

1 Mes enfants .... une semaine de vacances, ... a loué une grande maison !

2 .... vous a dit qu'ils .... décidé de fermer la route ?

3 Demain, ... ira à l'agence pour voir s'ils .... des billets d'avion moins chers.

A-Z

16 HOMOPHONES

Je complète les phrases.

[pɔ̃] (pont / pond) → *La petite poule rousse pond ses œufs sous le vieux pont en pierre.*

1 [fɔ̃] (font / fond) → Quand la neige .... , ils ne .... plus de ski.

2 [tɔ̃] (ton / thon) → Tu as préparé .... fameux cake au .... !

3 [sɔ̃] (son / sont) → Mon frère et .... épouse .... gérants d'un grand magasin.

4 [mɔ̃] (mon / mont / m'ont) → Pour .... anniversaire, ... frère et ma soeur .... offert un tour du .... Blanc en hélicoptère.

C. J'écoute, j'écris, je dis

100

17 DICTÉE

A1/A2 J'écoute et j'écris. Puis je vérifie avec la transcription.

....

....

....

....

....

....

101 **18** **DICTÉE** B1/B2 **J'écoute et j'écris. Puis je vérifie avec la transcription.**

....

....

....

....

....

....

102 **19** **LECTURE À VOIX HAUTE**

J'écoute et je lis l'extrait du roman de Muriel Barbéry. Je note les pauses (/) et les liaisons obligatoires et facultatives. Puis je lis le texte à voix haute.

> « Moi, je crois que la grammaire, c'est une voie d'accès à la beauté. Quand on parle, quand on lit, quand on écrit, on sent bien si on a fait une belle phrase ou si on est en train d'en lire une. On est capable de reconnaître une belle tournure ou un beau style. Mais quand on fait de la grammaire, on a accès à une autre dimension de la beauté de la langue.
>
> Muriel Barbery, *L'élégance du hérisson*, © Éditions Gallimard, 2006.

103 **20** **LECTURE/CULTURE**

a J'écoute et je lis le texte. Je souligne les [ɔ̃]. Puis je lis à voix haute.

Michel de Montaigne, penseur de la Renaissance, est né en 1533 dans la commune de Saint Michel de Montaigne en Dordogne à la frontière avec le Périgord et le Bordelais. La maison familiale du philosophe était une maison forte du XIVe siècle. Il ne reste aujourd'hui que la tour ronde qu'il appelait sa « librairie ».
Il y a écrit son seul livre, les célèbres *Essais* de 1571 à sa mort en 1592. Il y a eu plusieurs éditions de son vivant. C'est un ouvrage de référence qui rassemble ses réflexions et ses opinions sur la vie et la condition humaine.

b Je coche la bonne réponse.

	vrai	faux
1 Montaigne est né au 16e siècle.	☒	❑
2 Il habitait à côté de Bordeaux.	❑	❑
3 Le Périgord se trouve à côté de Paris	❑	❑
4 Montaigne a écrit plusieurs romans.	❑	❑
5 Les *Essais* ont été publiés après sa mort.	❑	❑

le son [ɑ̃]

A. Je découvre

Attente matinale

"Tous les matins, j'attends. J'attends le premier train qui m'emmène en ville. Quand il y a du vent ou du mauvais temps, j'attends dedans, dans cette charmante gare de campagne. Mais souvent, je viens bien avant le départ pour observer tous les gens qui attendent silencieusement sous les lampadaires. L'hiver, dans l'ombre de la nuit, c'est impressionnant. Certains sont habillés élégamment, d'autres n'importe comment. Certains semblent gentils, d'autres méchants. Ils sont tous différents et pourtant si semblables dans l'attente. Il y a rarement des enfants. Le matin, c'est le moment des employés à l'agenda bien rempli. Ils n'ont pas tous envie d'être là. Les transports en commun, c'est fatigant ! Le train entre enfin en gare et les passagers se rassemblent devant les portes coulissantes. Qui va avoir la chance de s'asseoir ?"

Témoignage de Marie L., 2018.

1 GRAPHIES

a J'écoute et je lis le texte. Je souligne les [ɑ̃] . Quelles sont les graphies de [ɑ̃] ? ....

b J'entoure les mots où la suite de lettres « an/am » ou « en/em » ne se prononce pas [ɑ̃]. Comment se prononcent-ils ? .... ➡ voir [ɛ̃]

c J'écoute deux phrases du texte. Je les découpe en syllabes. Je les prononce.

J'attends le premier train qui m'emmène en ville.
J'a/ttends/le/pre/mier/train/qui/m'em/mè/ne en/ville.

1 J'attends dedans, dans cette charmante gare de campagne.

....

2 Certains sont habillés élégamment, d'autres n'importe comment.

....

2 ÉCRITURE J'observe et j'écris « a » et « e » liés avec « n ».

3 MOTS INVARIABLES les adverbes de temps

Je complète avec « en » ou « an » ou « em » :

régulièrement, av....t, tout le t....ps, mainten....t, ...core, de t....ps en t....ps, souv....t, rarem....t, p....d....t, longt....ps.

105 **4** **DISCRIMINATION**

J'écoute et je complète avec « a », « an » ou « ann ».

1 Ce *banc* est trop b...... s.
2 A-t-il fait s...... prise de s...... g ?
3 Ce ch...... t ch...... te, il ne miaule pas !
4 L'or...... ge fait une lumière or...... ge.
5 Un ...... ge n'a pas d'...... ge.
6 Le soir du nouvel ......, on fête la nouvelle ...... ée.

5 **DISCRIMINATION** ➡ voir [ɛ̃]

Je lis à voix haute. Je barre quand je ne prononce pas la terminaison « ent ».

1 Ses parents *préparent* à manger.
2 Ils savent qu'il y a souvent du vent au bord de l'océan.
3 Tous les résidents qui résident dans cet immeuble doivent respecter le règlement.
4 Le petit garçon est content que ses grands-parents lui racontent une histoire le soir.
5 Le président et le premier ministre président la réunion du conseil.

106 **b J'écoute pour vérifier et je répète.**

B. Je crée des liens

6 **D'UN MOT À L'AUTRE** du verbe à l'adjectif

Je trouve l'adjectif et j'écris la forme en « ant ».

Ça m'étonne, c'est très étonnant !

1 Ça repose, c'est tout à fait ....
2 Ça m'énerve, c'est plutôt ....
3 Ça ne m'amuse pas, ce n'est pas du tout ....
4 Ça m'agace, c'est vraiment ....
5 Ça ne m'intéresse pas, ce n'est pas ....

7 **MOTS EN SÉRIE**

a Je complète avec « an », « am », « en » ou « em ».

1 *quarante* cinqu.......te soix.......te	2 ....biance ....bition ....bassade	3 v.......te r.......te f.......te	4 ....ployer ....preinte ....prunt	5 sept.......bre nov.......bre déc.......bre
MAIS : tr.......te	MAIS : ....brasser	MAIS : t.......te	MAIS : ....poule	MAIS : ch.......bre

b Je complète :

Devant **p** et **b**, la lettre **n** → .... Exemple : ....

8 MOTS DE LA MÊME FAMILLE alternance [ɑ̃]/[an]

A-Z

a Je trouve le mot court. Je le prononce.

1 romanesque → un *roman*..........
2 océanique → un ....
3 volcanique → un ....
4 artisanat → un ....
5 musulmane → un ....
6 persane → un ....
7 paysanne → un ....
8 catalane → un ....

107 **b J'écoute pour vérifier et je répète.**

9 MOTS DE LA MÊME FAMILLE

Je trouve quatre mots et je les écris.

1 Il vend → *vendre, le vendeur, la vendeuse, la vente*..........
2 le chant → ....
3 Il ment → ....
4 Il sent → ....
5 le rang → ....
6 lent → ....

10 PRÉFIXE en / em

A-Z

a J'ajoute « en » ou « em » et j'écris le verbe.

en/m

1 *mener* → *emmener*..........
2 tendre → ....
3 porter → ....

s'en/m

4 dette → ....
5 riche → ....
6 rhume → ....

108 **b Je prononce les mots et j'écoute pour vérifier.**

11 SUFFIXE -ment

A-Z

a Je forme le nom à partir du verbe. J'ajoute un article. Pour les verbes en *-ir*, je cherche d'abord le radical du pluriel.

Verbes en -er

charger → *un chargement*..........
enlever → ....
équiper → ....
gouverner → ....
changer → ....
juger → ....

Verbes en -ir

applaudir / ils applaudissent → *un applaudissement*..........
agrandir / .... → ....
avertir / .... → ....
divertir / .... → ....
refroidir / .... → ....
rajeunir / .... → ....

b Je coche la bonne réponse :

Tous les mots avec le suffixe « **-ment** » sont ❑ masculins ❑ féminins.

le son [ɑ̃]

12 SUFFIXE [ɑ̃s] -ence / -ance

a Je forme le nom à partir du verbe et j'ajoute l'article. ➡ voir [3]

+ -ence		+ -ance	
influer →	*l'influence*	*tolérer* →	*la tolérance*
exceller →	....	résister →	....
exister →	....	confier →	....
exiger →	....	obéir →	....
résider →	....	naître →	....
présider →	....	croire →	....

b Je coche la bonne réponse :

Tous les mots avec le suffixe « **-ance** / **-ence** » sont ❏ masculins ❏ féminins.

c Je forme le nom à partir du mot souligné.

C'est urgent, il faut l'emmener aux *Urgences*.

1 Faites l'appel des présents et des absents. La .... est obligatoire et .... doit être justifiée.

2 Les orages sont très fréquents. Leur .... est inhabituelle.

3 C'est un étudiant très intelligent. Son .... est remarquable.

4 La Chine est devenue un pays très puissant grâce à sa .... économique.

13 GRAMMAIRE

➡ voir [t] et [d]

a Je complète « an » ou « en ».

La princesse *charmante* est très gr.....de, élég.....te, vraim.....t intellig.....te, non viol.....te, rarem.....t méch.....te, att.....tionnée et toujours souri.....te.

b Je mets la phrase au masculin. Je la prononce.

Le prince *charmant* ....

....

109 **c J'écoute pour vérifier.**

d Je coche la bonne réponse :

Pour certains adjectifs, quand je passe du féminin au masculin, j'enlève le « **e** » et ❏ je prononce ❏ je ne prononce pas la consonne finale.

14 GRAMMAIRE préposition de lieu

a Je complète.

Dans quels pays êtes-vous déjà allé(e) *en* Europe ?

en France ?.... Angleterre ? .... Espagne ? .... Suisse ? .... Russie ? .... Autriche ? .... Belgique ?

110 **b J'écoute pour vérifier. Je souligne les liaisons.**

c Je lis à voix haute.

d Je coche la bonne réponse :

En général, la préposition « **en** » s'utilise avec les pays ❑ féminins ou ❑ masculins.

La préposition « **en** » s'utilise aussi avec **les pays masculins qui commencent par une voyelle** : *en Israël, en Afghanistan...*

15 GRAMMAIRE le gérondif : en ...ant

a Quelles sont les deux actions que je peux faire en même temps ? Je formule des phrases.
Prendre sa douche, chanter, attendre l'autobus, lire, courir, écouter de la musique, marcher, téléphoner, lire une recette, faire la cuisine, conduire, parler, faire des exercices de français.
Je peux prendre une douche en chantant ....

....

....

b J'écris d'autres phrases avec des actions de mon choix.

16 CONJUGAISON

a Je conjugue au présent à la troisième personne du pluriel et je prononce la phrase.

1 Les étudiants : apprendre, étudier et passer des examens → *Les étudiants apprennent*, ...
....
2 Les jeunes gens : trouver un emploi, gagner de l'argent, partir en vacances, découvrir un pays étranger ....
3 Les migrants : s'enfuir de leur pays, devenir clandestins, rencontrer la souffrance, demander l'asile ....
4 Les mélomanes : aimer la musique, écouter des disques, jouer d'un instrument, chanter
....

b J'écoute pour vérifier.

c Je coche la bonne réponse :

Pour tous les verbes, à la 3ème personne du pluriel (ils/elles)
→ la terminaison « **ent** » ❑ se prononce ❑ ne se prononce pas.

17 HOMOPHONES

A-Z

Je complète les phrases.

[sɑ̃] (s'en / sans / cent) → *Il a dépensé cent francs suisses sans s'en rendre compte.*
1 [ɑ̃kʀ] (ancre / encre) → Il dessine une .... de bateau à l'................ bleue.
2 [tɑ̃] (tant / temps) → .... mieux, il va faire beau .... ce week-end.
3 [tɑ̃t] (tente / tante) → Sa .... m'a prêté une .... pour faire du camping.
4 [dɑ̃] (dent / dans) → Il a une infection .... une ....
5 [pɑ̃s] (pense / panse) → Elle ne .... à rien d'autre quand elle .... la plaie du malade.

le son [ɑ̃]

18 **MOTS VOISINS**

a Je complète les phrases.

1 [ɛ̃] et [ɑ̃]

(éteins / étends) → *Tu étends le bras et tu éteins la lampe, s'il te plait.*

(teinte / tente) → La .... de ce pull me .... , je vais l'acheter.

(parrain / parent) → Mon .... est un .... , c'est le frère de mon père.

2 [ɑ̃] et [ɔ̃]

(temps / ton) → Ne perds pas .... !

(sans / son) → Il est parti .... sac.

(lent / long) → Le débit de ce .... fleuve est ....

112 **b J'écoute et je répète en distinguant bien les mots voisins.**

C. J'écoute, j'écris, je dis

113 **19** **DICTÉE** A1/A2 **J'écoute et j'écris la lettre. Puis je vérifie avec la transcription.**

....

....

....

....

114 **20** **DICTÉE** B1/B2 **J'écoute et j'écris la lettre. Puis je vérifie avec la transcription.**

....

....

....

....

....

115 **21** **LECTURE À VOIX HAUTE**

J'écoute et je lis le poème de Robert Desnos. Je note les pauses (/) et je souligne les [ɑ̃]. Puis je le lis à voix haute.

Le pélican

Le Capitaine Jonathan,
Etant âgé de dix-huit ans
Capture un jour un pélican
Dans une île d'Extrême-Orient.

Le pélican de Jonathan
Au matin, pond un œuf tout blanc
Et il en sort un pélican
Lui ressemblant étonnamment.

Et ce deuxième pélican
Pond, à son tour, un œuf tout blanc
D'où sort, inévitablement
Un autre, qui en fait autant.

Cela peut durer pendant très longtemps
Si l'on ne fait pas d'omelette avant.

Robert Desnos, *Chantefables et Chantefleurs*, Éditions Gründ, 1952.

le son [ɛ̃]

A. Je découvre

EXCUSES

1 Impossible de trouver un taxi !

2 J'ai oublié de mettre mon réveil, quel imbécile je suis !

3 J'ai eu une insomnie, je ne me sens pas bien et je suis très lent ce matin.

4 Les syndicats ont déclenché une grève surprise des bus.

5 On ne va pas se fâcher pour ça. C'est pas sympa.

6 Ma voisine s'est coincé la main dans la portière du train.

7 Quinze minutes de retard, ce n'est rien !

8 Allez, viens, j'ai faim, je t'invite pour me faire pardonner !

9 Le frein de mon vélo a cassé et le bus était plein.

10 J'ai eu un imprévu à la dernière minute.

116

1 **GRAPHIES** ➥ voir [wɛ̃]

a J'écoute et je lis le texte. Je souligne les [ɛ̃] entendus.

b Quelles sont les graphies de [ɛ̃] ? ....

c Je souligne les mots où la suite « i + n » ne se prononce pas [ɛ̃].

d Devant quelles lettres la lettre « n » devient « m » ? ....

[œ̃] est de plus en plus prononcé **[ɛ̃]** par les Français.

2 **ÉCRITURE** **J'observe et j'écris les suites « in » et « un ».**

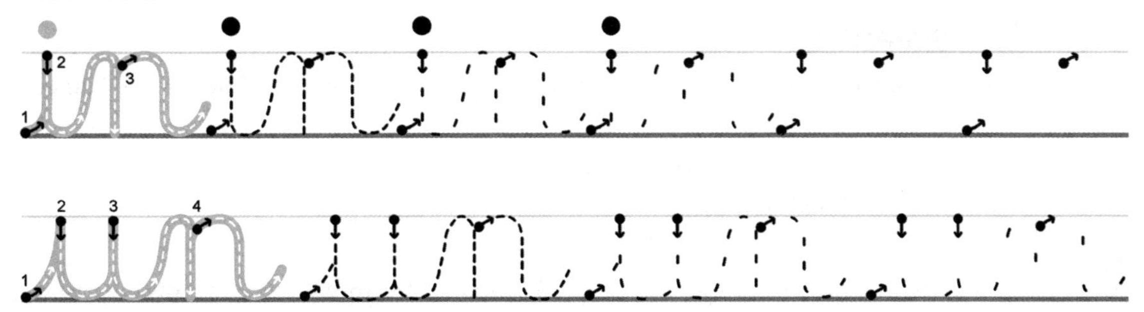

le son [ɛ̃]

3 MISE EN MOTS

Je sépare les mots et j'écris les phrases avec la ponctuation et les majuscules.

1 lundimatinmonchienaprisunbonbain

....

2 monvoisinestsympailinvitetouslescopainspoursescinquanteans

....

3 cemusicienestd'uneintelligenceinimaginable

....

4 l'infirmièreprévientlemédecindelasyncoped'unpatient

....

4 SYLLABATION

a Je lis à voix haute, je souligne les [ɛ̃] et je sépare les syllabes phonétiques.

1 Le *ma/tin*, j'ai faim et je prends dix minutes pour manger des tartines de pain avec du beurre et de la confiture d'oranges et de mandarines.

2 Demain, j'interroge le comédien qui va lire un extrait important des *Lettres de mon Moulin*.

b J'écoute pour vérifier.

5 DISCRIMINATION

a J'écoute et je souligne les mots avec [ɛ̃].

taie / *teint* – pain / paix – vais / vin – mais / main – cinq / sec – biais / bien – fin / fait – dès /daim – grain / graine – sain / saine – plein / pleine – viens / veine – reine / rien

b J'entends [jɛ̃] ou [jɑ̃] ? J'écris les mots dans la bonne colonne.

chien – ingrédient – patient – canadien – quotidien – rien – ancien – client – musicien – inconvénient

[jɛ̃]	[jɑ̃]
chien, ...	....
....	....

c J'écoute pour vérifier.

Dans quelques mots, la suite « **consonne + en** » se prononce **[ɛ̃]** : *exa**men**, a**gen**da, réfé**ren**dum, con**sen**sus, **Ben**jamin…*

6 DISCRIMINATION

a Je lis et je souligne dans chaque phrase le [ɛ̃] en rouge, le [ɑ̃] en bleu et le [ɔ̃] en vert.

1 *Alain, finis de manger ta viande sinon… !*

2 Il est absent à la réunion de demain.

3 Donnez-moi cinq oranges et un citron.

4 Je cherche une information sur un médicament.

b J'écoute pour vérifier et je répète en distinguant les mots avec les trois voyelles nasales.

B. Je crée des liens

7 CHOIX DE LA GRAPHIE

Je complète les mots invariables avec « in », « ien » ou « ain ».

Soudain, il appelle :

– Tu viens quand ?

– B........tôt.

– Non, viens m........tenant.

– Je peux pas avant dem........ .

– D'accord, dem........ , je te verrai enf........ !

8 CHOIX DE LA GRAPHIE

Je complète avec une graphie de [ɛ̃].

in ou im ?	ein ou ain ?	yn ou ym ?	un ou um ?
le magasin	*la ceinture*	*sympathique*	*l'emprunt*
les ....st........cts	l'écriv........	la s........phonie	chac........
........buvable	proch........	le s........dicat	à je........
qu........ze	la p........ture	ol........pique	déf........t
........fini	la pl........te	la s........cope	h........ble
........portant	la cr........te	le s........bole	
fémin........	enc........te		
........possible	la s........te		
v........gt	ser........		
MAIS : la coïncidence* ➡ voir [i]	MAIS : la faim, le daim l'essaim, Reims	MAIS : le thym	MAIS : le parfum

9 CHOIX DE LA GRAPHIE

a Je complète avec « in » ou « im ».

Écouter un orchestre, c'est *impressionnant* ? C'est *insignifiant* ?

1 Cet ......dividu, il est très ......poli ? Il est ......discipliné ?

2 Réussir cet examen, c'est ......pensable ? C'est ......certain ?

3 L'......pact du réchauffement climatique, c'est ......quiétant ? C'est ......contournable ?

4 Cette eau, elle est ......fecte ? Elle est vraiment ......buvable ?

b Je complète avec « in », « im », « ain », « ein », « ien », « yn », « ym », « un », « um ».

Cet étudiant *argentin* a les yeux *bruns* et les cheveux *châtains*.

1 Pour cert......s mots, il est ......possible de savoir s'ils sont fémin......s ou mascul...s.

2 Dem...... mat..... , mon cous..... v......t. Il est mécanic...... sur les tr.....s et il est très s......pa.

3 Cet artiste p......tre a beaucoup de p......ceaux et des encres de t......tes ......croyables !

4 Dans le monde de dem...... , les hum......s seront concentrés dans les centres urb......s.

5 Le ministre de l'......dustrie a ......stauré une nouvelle loi pour mettre un fr...... à l'......portation des parf......s de s......thèse.

le son [ɛ̃]

10 D'UN MOT À L'AUTRE

a J'ajoute « n » pour faire un nouveau mot avec le son [ɛ̃].

mai → *main* – pi → .... – gai → .... – cri → .... – fi → .... – pai(x) → ....

b Je déplace « n » pour faire un nouveau mot avec le son [ɛ̃] et je l'écris.

signe → *singe* – ligne → .... – nu → .... – mine → .... – Chine → ....

c Je change la consonne initiale et j'écris des nouveaux mots avec [ɛ̃].

pain → *bain* ....

11 MOTS DE LA MÊME FAMILLE

Je trouve un nouveau mot de la même famille avec une graphie de [ɛ̃].

1 *gagner* → *gain*..........
2 panier → ....
3 manucure → ....
4 naine, nanisme → ....
5 baignade → ....
6 famine, affamé → ....
7 vanité, vaine → ....
8 vacciner → ....
9 matinée → ....
10 plénitude, pleine → ....
11 freiner → ....
12 sérénité, sereine → ....

12 PRÉFIXE syn/sym (grec = avec)

Je trouve le mot avec ce préfixe et je cherche son genre.

La sympathie, ...phonie, ...thèse, ...chronisation, ...ptôme, ...taxe, ...bole, ...cope.

13 PRÉFIXE in/im (négatif)

➡ voir [m], [n], [ɲ]

J'écris l'adjectif de sens contraire.

a *connu* → *inconnu* – supportable → .... – complet → .... faisable → .... – capable → .... – certain → .... – visible → .... – compréhensible → .... – correct → ....

b *prudent* → *imprudent* – buvable → .... – poli → .... – parfait → .... – prévu → .... – précis → .... – patient → ....

c *intelligent* → *inintelligent* – intéressant → .... – inflammable → .... – interrompu → ....

14 SUFFIXE

Je complète avec les noms des habitants des pays d'Amérique.

• -ien/ienne **pour presque tous les pays :** *Brésil* → *brésilien/brésilienne*

Colombie → ....
Équateur → ....
Venezuela → ....
Chili → ....
Pérou → ....
Honduras → ....

Salvador → .... Canada → ....

MAIS Panama → *panaméen/panaméenne*

• -ayen/ayenne

Paraguay → ....

• -ain/aine

États-Unis → .... Costa Rica → ....

• -in/ine Argentine → ....

Sauf : La Guyane → guyanais/guyanaise, le Guatemala → un/une guatémaltèque.

15 SUFFIXE -éen/éenne – -ien/-ienne

a Je forme les adjectifs masculin et féminin et je les écris.

Lycée → *lycéen/ lycéenne* Guadeloupe → ....

Europe → .... Ghana → ....

Méditerranée → .... Corée → ....

b Je transforme la phrase du masculin au féminin ou l'inverse. Je la prononce.

Dans ce laboratoire *européen*, ce mathématicien italien travaille avec une informaticienne norvégienne et une physicienne autrichienne.

Dans cette entreprise *européenne*, ... travaille avec .... et ....

121 **c J'écoute pour vérifier.**

16 GRAMMAIRE le pronom possessif : le mien, le tien, le sien

a Je complète. Puis je transforme la phrase avec le mot donné.

1 *Si tu as oublié ton livre, je peux te prêter le mien.*
Ta carte : Si tu as oublié ta carte, je peux te prêter la mienne.

2 Tu connais mes goûts pour la cuisine japonaise mais je ne connais pas ....
Envies de voyage : ....

3 Je lui ai donné mon mail, il va m'envoyer ....
Adresse : ....

4 Dans les hôpitaux, il faut éteindre son téléphone portable. As-tu éteint .... ?
Cigarette : .... ?

122 **b J'écoute pour vérifier.**

17 CONJUGAISON

Je crée trois phrases au présent aux trois personnes du singulier avec : tenir, soutenir, contenir, retenir, maintenir, obtenir, appartenir, venir, devenir, se souvenir, revenir, prévenir.

Le professeur vient tous matins. Il soutient toujours ses étudiants.

....

....

....

18 HOMOPHONES

Je complète les phrases.

1 [pɛ̃] (pin / peint / pain) → Cet artiste .... un homme mangeant un morceau de .... sous un ....

2 [sɛ̃] (sein / sain) → L'allaitement au .... est très .... pour les bébés.

3 [fɛ̃] (fin / faim) → À la .... de ce film sur la gastronomie, j'avais très ....

4 [vɛ̃] (vin / vingt) → Il a acheté .... litres de ....

C. J'écoute, j'écris, je dis

123 **19 DICTÉE** A1/A2 **J'écoute et j'écris. Puis je vérifie avec la transcription.**

....

....

....

....

....

124 **20 DICTÉE** B1/B2 **J'écoute et j'écris. Puis je vérifie avec la transcription.**

....

....

....

....

....

....

125 **21 LECTURE À VOIX HAUTE**

a J'écoute et je lis le résumé du livre de P. Labro. Je note les pauses (/) et je souligne les [ɛ̃].

> Trois destins parallèles s'entrecroisent, trois vies dont le seul point commun est le manque d'amour : Maria, une jeune orpheline californienne d'une beauté rare, Caroline, une Parisienne trentenaire, enfin Marcus Marcus, célébrité de la télévision, mégalo et parano. Autour d'eux, vont graviter toutes sortes de gens : la femme de l'ambassadeur américain en France, une intraitable *executive woman*, un détective privé, un *coach* sans scrupule, des loups et des agneaux …
>
> Philippe Labro, *Les gens*, © Éditions Gallimard, extrait de la 4ème de couverture, 2009.

b Quels mots féminins pourraient être mis au masculin et avoir le son [ɛ̃] ? Je les écris et je les prononce. ....

c Je lis le texte à voix haute.

le son [p]

A. Je découvre

Trier, c'est pas si compliqué !

La déchèterie organise la récupération et le recyclage des déchets.
Mais pour cela, il est indispensable de respecter les règles du tri.

- Pour chaque type de déchets, il y a une couleur de poubelle à respecter : tous les paquets en plastique dans la poubelle jaune, tous les papiers dans la poubelle bleue et les déchets alimentaires dans la poubelle verte pour le compost.
- Si les emballages sont trop gros, il faut les apporter à la déchèterie.
- Vous pouvez aussi déposer les vieux vêtements dans des conteneurs.
- La déchèterie récupère aussi les appareils ménagers.
- Les pharmacies récupèrent les médicaments périmés.

Trier, c'est important pour protéger la planète !

126 **1 GRAPHIES**

a J'écoute et je lis le texte. Je souligne les mots avec le son [p].

b Quelles sont les graphies de [p] ? ....

c Il y a un mot où « p » ne se prononce pas, lequel ? : ....

d Quel est le mot avec « p + h » ? .... **Comment se prononce-t-il ?** ......

➥ voir [f]

2 ÉCRITURE

a J'observe et j'écris la lettre « p ».

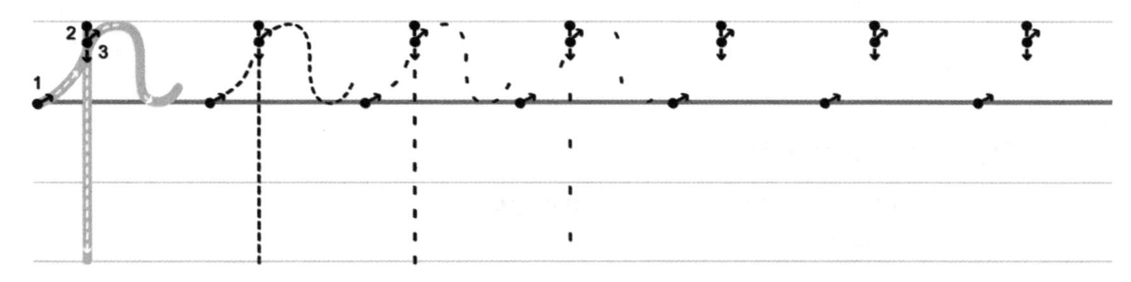

b J'écris la phrase et j'ajoute les majuscules si nécessaire et la ponctuation.
paul et philippe partent de paris en avion pour perpignan près des pyrénées

....

3 CONSONNES EN MIROIR

➥ voir [b],[k],[d]

a J'observe le dessin. Quelles sont les trois lettres qui ressemblent au « p » ? ......, ..., ...

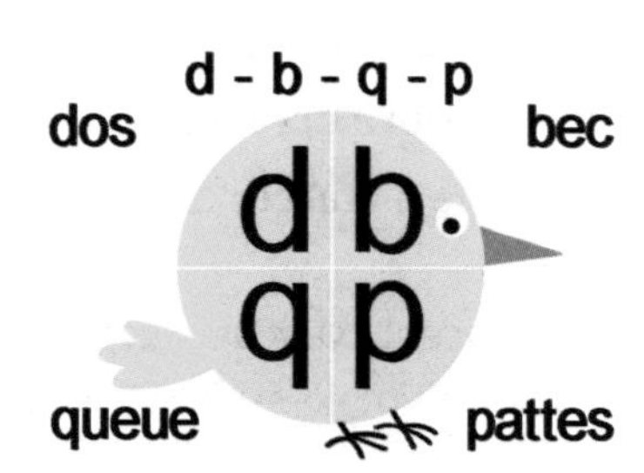

127

b J'écoute et je complète les mots avec les lettres : d, b, p, q.

1 *indispensable* 2 ....ou....elle 3 ....lasti....ue 4 ....a....ier 5 com....li....ué 6 ....a....uet

128 **4 DISCRIMINATION**

J'entends [p] [b] ou [b] [p] ? Je coche la bonne réponse.

	[p] [b]	[b] [p]		[p] [b]	[b] [p]
1 *pou/bout*	❑	☒	5 se peigner/se baigner	❑	❑
2 pont/bon	❑	❑	6 une pelle/une belle	❑	❑
3 pas/bas	❑	❑	7 un paon/un banc	❑	❑
4 il a pu/il a bu	❑	❑	8 la pierre/la bière	❑	❑

B. Je crée des liens

5 CHOIX DE LA GRAPHIE

Je complète les verbes avec « p » ou « pp ». Puis je les recopie.

1 *apprendre* – sur....rendre – com....rendre
2 a....eler – é....eler
3 a....orter – su....orter – em....orter
4 a....araître – dis....araître – com....araître
5 su....lanter – im....lanter – re....lanter
6 su....oser – dé....oser – re....oser
7 S'écha....er, être rattra....é et fra....é
8 équi....er, dévelo....er ou sto....er

« p » → *surprendre* ....

« pp » → *s'échapper* ....

6 CHOIX DE LA GRAPHIE

a Je complète les mots avec « ap » ou « app ».

1 *Tu m'appelles ou je t'appelle ?*
2 Qu'est-ce que j'..........orte pour l'..........éritif ?
3 J'ai ....erçu un chat dans son ....artement.
4 Elle ....araît ....aisée.
5 J'.......... rends à utiliser l'..........areil photo.

b Je complète les mots avec « op » ou « opp ». B1/B2

1 *Il adore l'opéra aux opérettes.*
2 Les deux candidats ont des ....inions ....osées.
3 Cette ....ération financière lui a donné l'..........ortunité d'acheter sa maison.
4 Le peuple est ....rimé par le dictateur et se sent ....ressé.

Tous les mots qui commencent par « **ap** » prennent deux « **p** » sauf : apaiser, apercevoir, apéritif, après, apiculteur, apostrophe, aplatir, apitoyer, apeuré…

7 MOTS DE LA MÊME FAMILLE

a Je retrouve un mot plus court de la même famille.

1 *septembre* → *sept*............................ 4 drapeau → ....

2 champignon → .... 5 campagne → ....

3 corporel → .... 6 temporel → ....

b Le « p » est-il prononcé ? J'écoute pour vérifier.

c J'entends [p] à l'intérieur du mot ? J'écoute et je coche.

	[p]	[-]
1 *sculpture*		✘
2 aptitude		
3 opticien		
4 baptême		

	[p]	[-]
5 comptable		
6 rupture		
7 septième		
8 capturer		

8 PRÉFIXE pré

a « pré » : Je complète avec un mot qui commence par « pré », à l'aide du mot souligné.

Donnez-moi votre nom et votre prénom.

1 Ce pantalon est très sale, il faut faire un .... avant le lavage.

2 L'histoire commence avec l'écriture qui met fin à la ....

3 Avant les Alpes, il y a des montagnes plus basses qu'on appelle les ....

b « para » : Je complète avec un mot qui commence par « para ».

Pour vous protéger du soleil, restez sous le parasol.

1 Il va pleuvoir, prenez un ....

2 Il a sauté de l'avion et après 50 secondes de chute libre, il a ouvert son ....

3 Les bâtiments publics sont équipés d'un .... pour se protéger de la foudre et du tonnerre.

4 Pour se protéger du vent sur la terrasse, ils ont installé un ....

c « après » : Je complète avec un mot qui commence par « après ».

Tous les magasins qui vendent des appareils ménagers ont un service après-vente

1 Il travaille le matin jusqu'à midi et l'................................ il est libre.

2 Demain, ce n'est pas possible. Est-ce que vous pouvez venir .... ?

3 Après le rasage, cette lotion .... est légère et apaisante.

9 HOMOPHONES

Je complète les phrases.

1 [plyto] (plutôt / plus tôt)

Reviens lundi *plutôt* que mardi et arrive un peu *plus tôt* qu'aujourd'hui.

Désolée, le mardi, je ne prends pas de rendez-vous. Venez .... mercredi.

2 [laprɑ̃] (la prends / l'apprends)

Ta leçon d'histoire, tu .... facilement ?

Tu as une grosse valise. Si tu veux je .... avec moi.

3 [lepʀœv] (les preuves / l'épreuve)

Après .... du bac, il a eu .... des capacités de son fils.

10 MOTS VOISINS

a Je complète les phrases avec les mots voisins. ➥ voir [b]

1 (palais / ballet) → *J'ai vu un ballet au palais de la danse.*

2 (Pierre / bière) → .... aime beaucoup la ....

3 (pas / bas) → Je ne veux .... aller là-.................... .

4 (pain / bain) → Après le ...., j'irai acheter du ....

5 (prunes / brune) → Regarde la belle .... qui mange des ....

131 **b J'écoute et je lis les phrases en distinguant bien les mots voisins.**

C. J'écoute, j'écris, je dis

132 **11** DICTÉE A1/A2 **J'écoute et j'écris le texte. Puis je vérifie avec la transcription.**

....

....

....

....

133 **12** DICTÉE B1/B2 **J'écoute et j'écris le texte. Puis je vérifie avec la transcription.**

....

....

....

....

....

....

134 **13** LECTURE À VOIX HAUTE

A-Z

J'écoute et je lis cet extrait de roman d'Anna Gavalda. Je barre les « e » non prononcés et je note les pauses (/), les fins de phrase (//) et les sons qui s'enchaînent. Puis je lis le texte à voix haute.

> J'aime être avec toi parce que je ne m'ennuie jamais. Même quand on ne se parle pas, même quand on ne se touche pas, même quand on n'est pas dans la même pièce, je ne m'ennuie pas. Je ne m'ennuie jamais. Je crois que c'est parce que j'ai confiance en toi, j'ai confiance en tes pensées. Tu peux comprendre ça ?
>
> Anna Gavalda, *je l'aimais*, La Dilettante.

le son [b]

A. Je découvre

Balade en Savoie

La belle abbaye de Hautecombe du XII[e] siècle en Savoie près d'Aix-les-Bains surplombe* le lac du Bourget. Elle abrite de nombreuses tombes blanches des princes et princesses de Savoie. C'est une grande bâtisse que l'on voit de loin où les moines bénédictins n'habitent plus. On peut s'y rendre en voiture, en bateau ou en barque.

*Surplomber = dominer

1 GRAPHIES

a J'écoute et je souligne les mots avec le son [b].

b Quelles sont les graphies de [b] ? ....

Il y a peu de mots avec 2 b (bb) : *un abbé, une abbaye.*

c Je trouve dans le texte deux mots avec les lettres : b, p, q, d et je les écris. ➡ voir p. 73 n° 3

b : .... p : .... q : .... d : ....

2 ÉCRITURE

a J'observe et j'écris la lettre « b ».

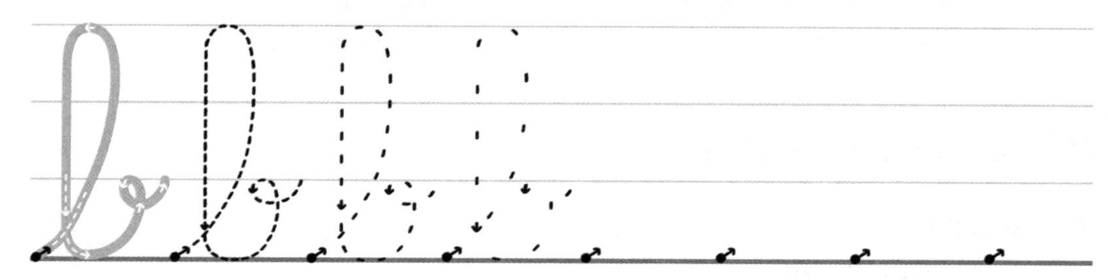

b J'écris la phrase et j'ajoute les majuscules si nécessaire et la ponctuation.

bientôt le beau bruno et la belle barbara vont partir à brasilia au brésil

....

3 MOTS INVARIABLES

Je complète la grille avec :
bientôt, ensemble, beaucoup, combien, d'abord, là-bas, debout.

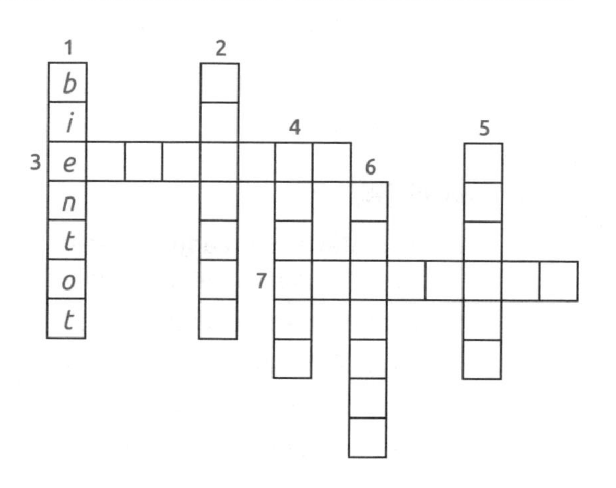

2.2 **le son [b]**

136 **4** **CONSONNES EN MIROIR**

J'écoute et je complète les mots avec les deux consonnes « b » et « d ».

1 *doubler* 2 ......ou......er 3 ......on......ir 4 ......é......ut 5 ......or......ure 6 ......e......out 7......ala......e 8 ......an......eau.

5 **D'UN MOT À L'AUTRE**

a J'ajoute « r » ou « l » après le « b » et j'écris le nouveau mot.

– « r » : 1 *bas* → *bras* 2 but → .... 3 bille → .... 4 bise → ....

– « l » : 5 *bond* → *blond* 6 banc → .... 7 bague → .... 8 bocage → ....

137 **b Je prononce les mots et j'écoute pour vérifier.**

138 **6** **DISCRIMINATION** ➡ voir [p]

a J'écoute et je coche si j'entends [b] ou [p].

	[b]	[p]		[b]	[p]		[b]	[p]
1 *absent*	☒	❑	4 oublier	❑	❑	7 observer	❑	❑
2 hebdomadaire	❑	❑	5 obstacle	❑	❑	8 objet	❑	❑
3 abriter	❑	❑	6 subjectif	❑	❑	9 obtenir	❑	❑

b J'écoute à nouveau et je répète.

c Je réponds aux questions :

1 Devant quelles consonnes la lettre « **b** » se prononce **[b]** ? ....
2 Devant quelles consonnes la lettre « **b** » se prononce **[p]** ? ....

B. Je crée des liens

A-Z **7** **SUFFIXE** -ible

a Je trouve l'adjectif.

1 *paix* → *paisible* 2 compréhension → .... 3 lire → ....
4 voir → .... 5 pouvoir → .... 6 admettre → ....

b J'écris le mot à côté de sa définition.

1 *On ne voit rien, c'est* *invisible*.
2 On ne peut pas le dire, c'est ....
3 On ne peut pas résister, c'est ....
4 On ne peut pas admettre, c'est ....
5 On ne peut pas lire, c'est : ....
6 On ne comprend pas, c'est ....

A-Z **8** **SUFFIXE** -able ➡ voir [ʒ]

a Je complète avec l'adjectif et son contraire.

1 imiter : *Cet écrivain n'est pas imitable, il a un style inimitable.*
2 faire : Cet exercice n'est pas ...., il est .... !
3 habiter : Cette maison n'est pas ...., elle est ....
4 manger : Ce plat n'est pas ...., il est .... !
5 boire : Cette boisson n'est pas ...., elle est ....

9 PREFIXE bi- B1/B2

J'écris le mot à côté de sa définition : biscuit, bilingue, bipède, bi-mensuel, bicyclette

Qui est cuit deux fois : biscuit

1 Qui a deux pieds → .... 2 Qui parait deux fois par mois → ....

3 Qui parle deux langues → .... 4 un véhicule qui a deux roues → ....

 « **Bi** » est un préfixe latin qui signifie **deux**.

10 MOTS FAMILIERS

a Je relie le mot à sa définition.

1 *la pub* (→ d)	a le médecin
2 le web	b le travail
3 le club	c de la viande grillée
4 le job	d *la promotion*
5 le toubib	e le réseau numérique
6 le kébab	f une association

139 **b J'écoute les mots et je coche la bonne réponse :**

❑ J'entends le **[b]** final. ❑ Je n'entends pas le **[b]** final.

11 HOMOPHONES

Je complète les phrases et je fais l'accord si nécessaire.

[bɔ̃] *(bon / bond) → Son dernier bond a été très bon.*

1 [bu] (boue / bout) → Il y a de la .... au .... de mes chaussures.

2 [bal] (bal / balle) → Rangeons les .... de tennis et partons au ....

3 [byt] (but / butte) → Notre .... est d'arriver au sommet de la .... Montmartre.

4 [bɛl] (bel / belle) → Cette .... histoire est un .... exemple de courage.

12 MOTS VOISINS

→ voir [p]

Je complète les phrases.

1 (peau / beau) → *Ce bébé est beau et il a une belle peau.*

2 (par / bar) → On peut aussi entrer dans le .... derrière.

3 (poule / boule) → Cette .... regarde la .... qui roule.

4 (proche / broche) → J'ai acheté cette .... dans le magasin .... de l'église.

5 (poisson / boisson) → Quelle .... voulez-vous avec votre .... ?

6 (boire / poire) → Je voudrais .... un jus de ....

b J'écoute. Je répète et je distingue bien les mots voisins.

C. J'écoute, j'écris, je dis

141 **13** DICTÉE A1/A2 **J'écoute et j'écris le texte. Puis je vérifie avec la transcription.**

....

....

....

142 **14** DICTÉE B1/B2 **J'écoute et j'écris le texte. Puis je vérifie avec la transcription.**

....

....

....

....

....

....

143 **15** LECTURE À VOIX HAUTE

J'écoute et je lis cet extrait d'un poème de Philippe Soupault. Puis je le lis à voix haute.

Au crépuscule

[...] Bonsoir mon chou
comme dit le jardinier.
Bonsoir mon trésor
comme disent les banquiers.
Bonsoir ma cocotte
comme dit la fermière.

Bonsoir mon loup
comme dit la bergère.
Mille bonsoirs de bonsoirs
comme disent les militaires [...]
Bonsoir tout le monde
comme tout le monde le dit.

Philippe Soupault, *Poésies complètes*, Éditions GLM.

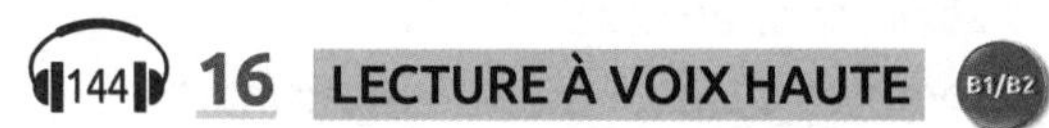

144 **16** LECTURE À VOIX HAUTE B1/B2

J'écoute le texte, je barre les « e » et les consonnes non prononcées. Puis je le lis à voix haute.

Le prince britannique Albert bégayait. Le bégaiement est un trouble de la parole. Certaines syllabes sont impossibles à prononcer. Troublée par le public, la personne balbutie, bredouille, bafouille et a un débit de parole beaucoup plus lent. Le prince Albert a obtenu de bons résultats et a réussi à prononcer des discours sans bégayer grâce à un orthophoniste.

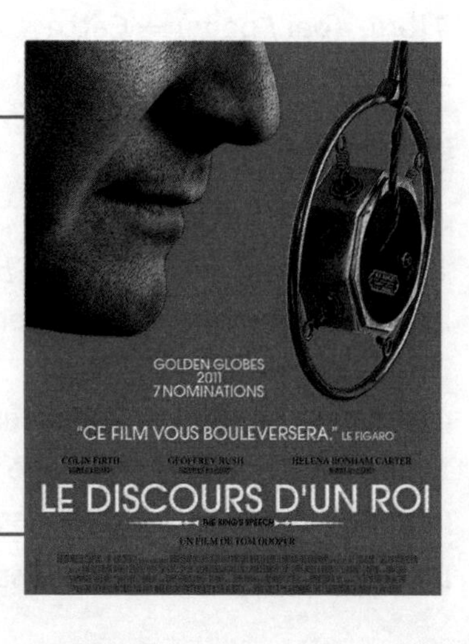

le son [t]

2.3

A. Je découvre

La santé des dents

Pour avoir des dents de bonne qualité, consultez votre dentiste régulièrement. Pour un entretien correct, nettoyez vos dents trois fois par jour avec une brosse à dents électrique. Faites attention aux gâteaux et à toutes les pâtisseries. Il faut éviter le thé aussi parce que, petit à petit, cela peut faire des tâches. Un dentifrice à la menthe garantit une bouche fraîche. Pendant la journée, vous pouvez utiliser des tablettes de chewing-gum ■

1 GRAPHIES

a J'écoute et je complète le tableau avec les mots qui contiennent la lettre « t ». ➡ voir [s]

« t » prononcé	« t » non prononcé	« t » prononcé autrement
santé, ...	*dents,*	....

b Quelles sont les graphies de [t] ? ....

2 ÉCRITURE

a J'observe et j'écris la lettre « t ».

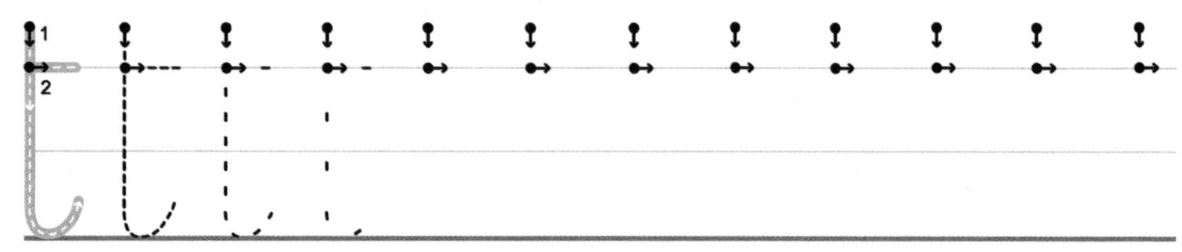

b J'ajoute les majuscules si nécessaire et la ponctuation.

titouan part bientôt en train avec tatiana et thomas pour visiter turin

....

3 MOTS INVARIABLES

J'écris, par ordre alphabétique, les mots invariables avec deux « t » (un « t » prononcé et un « t » non prononcé). Je souligne le « t » prononcé. J'écoute pour vérifier.

autant – tôt – surtout – maintenant – plutôt – tout à fait

au<u>t</u>ant, ...

4 DISCRIMINATION

a J'écoute. Dans quel ordre j'entends les adjectifs ?

	1	2	Ordre
a	*vert*	*verte*	*2 – 1*
b	court	courte	
c	fort	forte	

	1	2	Ordre
d	content	contente	
e	discret	discrète	
f	muet	muette	

b Je coche la bonne réponse :

Quand j'entends le **[t]** final, l'adjectif est : ❑ au masculin ❑ au féminin

148 **5** **DISCRIMINATION** 

J'écoute. Je souligne les [t] prononcés et je barre les « t » muets.

1 *Le résultat de l'analyse médicale est très net : tout va bien.*

2 Cet exercice n'est pas correct. Vous n'avez pas réussi le test.

3 Nous sommes le huit, oui, le huit février. J'ai invité au restaurant mes huit étudiants.

4 Tu as vingt et un an ? – Non, vingt ans, j'ai eu vingt ans le vingt septembre.

149 **6** **DISCRIMINATION**

J'écoute et je coche la phrase entendue.

1 ❑ *C'est tout ?* ☒ *C'est doux ?*

2 ❑ Regarde le toit. ❑ Regarde le doigt.

3 ❑ Où est le thé ? ❑ Où est le dé ?

4 ❑ Elle choisit le quatre. ❑ Elle choisit le cadre.

5 ❑ Je parle à tes copains. ❑ Je parle à des copains.

150 **7** **DISCRIMINATION** ➥ voir [ʃ], [s/z]

J'écoute. J'entends [t] ou [s] ? J'écris le son entendu sous chaque lettre « t ».

1 *contente* 2 patience 3 quartier 4 sortie 5 nation 6 entrée 7 amitié 8 huitième 9 question

.....*t*...*t*...

B. Je crée des liens

8 **CHOIX DE LA GRAPHIE**

a Je complète avec « t » ou « tt ».

Il *jette* les vieux papiers.

1 Il achè......e un nouveau cahier.

2 Ils se me......ent à table.

3 Ils fê......ent l'anniversaire de leur ami.

4 Je complè......e la phrase.

b J'écris « t », « tt » ou « th » en minuscule ou en majuscule. Je n'oublie pas les « t » muets.

1 L'avion qui transporte les a......lè......es des JO a a......erri à ......okyo.

2 En cas d'a......aque, le pays u......ilisera-......-il la bombe a......omique ?

3 Les ves......iges an......iques a......irent les ......ouris......es à A......ènes.

 Tous les mots qui commencent par « **at** » prennent deux « **t** » sauf : ***atelier, atome.***

9 MOTS DE LA MÊME FAMILLE

Je souligne le mot où le « t » final n'est pas prononcé.

lait, laitage, laiterie, laitier, allaiter

1 dentiste, dent, dentaire, dentifrice, dentier

2 partie, partage, partager, part

3 lente, lenteur, ralentir, lent, lentement

10 MOTS DE LA MÊME FAMILLE

Je trouve le nom à partir du verbe et j'ajoute l'article.

attendre : *l'attente*

1 vendre : ....

2 descendre : ....

3 perdre : ....

4 craindre : ....

5 plaindre : ....

11 SUFFIXES et/ette – et/ète

Je lis la règle et je mets la phrase au féminin.

Les adjectifs masculins terminés par « **-et** » forment leur féminin en « **-ette** » : *un calcul net/une somme nette, mon frère cadet/ma sœur cadette.*
Il y a des exceptions : *un plaisir complet/une joie complète, un code secret/une vue secrète.*
Le seul mot masculin terminé par « **-ette** » est : le squelette.

Ce cadet est fluet et maigrelet, toujours inquiet mais discret.

....

12 SUFFIXE - té 

a Je trouve le nom à partir de l'adjectif. J'ajoute l'article.

1 bon → *la bonté*, gratuit → ...., propre → ....,
nouveau → ...., beau → .... fier → ....

2 vrai → *la vérité*, curieux → ...., nerveux → ....,
rapide → ...., sincère → ...., aimable → ....

b Je coche la bonne réponse.

Les noms terminés par **-té** sont : ❑ masculins ❑ féminins.

13 GRAMMAIRE

➡ voir [d]

a J'écoute et je répète la liaison en [t] avec l'interrogation.

1 Que dit-il ? Que dit-elle ? Que dit-on ? Que disent-ils ? Que disent-elles ?

2 Qu'attend-elle pour partir ? Comprend-il bien le français ? Que vend-il ?

3 Mange-t-elle avec nous ce soir ? Va-t-elle venir avec son ami ? Pourquoi s'inquiète-t-elle ?

Pour les questions formelles (avec inversion du sujet), il y a une liaison du verbe avec le pronom. On rajoute « **-t-** » quand le verbe se termine en **-e** ou **-a**.

152

b B1/B2 **Je pose la question formelle puis je l'écris. J'écoute pour vérifier.**

1 Il s'appelle comment ? → *Comment s'appelle-t-il ?*
2 Il vit chez des amis ?
3 Il parle couramment français ?
4 Il apprend le français ?
5 Il a un permis de conduire ?
6 Il joue d'un instrument de musique ?
7 Il est marié ?

14 HOMOPHONES

Je complète les phrases.

1 [dat] (date / dattes) → *Quelle est la date de ton anniversaire ? Je t'offre des dattes.*
2 [te] (thé / tes) → .... amis peuvent-ils me rapporter du .... de Chine ?
3 [sɛt] (sept / Sète / cette) → .... année, je pars en vacances .... jours dans le Sud, à ....
4 [gut] (goûte / goutte) → .... ce café avec une .... de lait.

C. J'écoute, j'écris, je dis

153 **15 DICTÉE** A1/A2 **J'écoute et j'écris le texte. Puis je vérifie avec la transcription.**

....

....

....

154 **16 DICTÉE** B1/B2 **J'écoute et j'écris le texte. Puis je vérifie avec la transcription.**

....

....

....

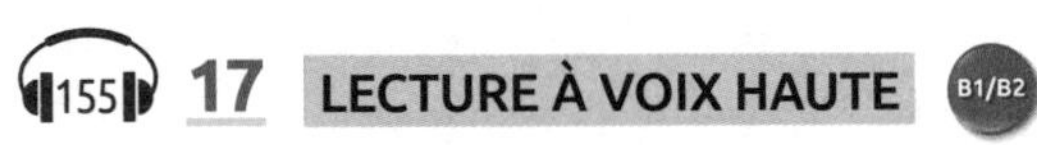

155 **17 LECTURE À VOIX HAUTE** B1/B2

Je lis la lettre de Victor Hugo et je l'écoute. Je souligne les « t » prononcés et je barre les « t » muets. Puis je lis la lettre à voix haute.

« 6 heures du matin
J'interromps cette lettre ici, mon Adèle, pour te l'envoyer tout de suite. Le temps devient affreux, il pleut à verse, il faut que je change mon itinéraire. Impossible de rebrousser chemin vers le nord, je vais descendre au midi afin de retrouver le ciel bleu et le soleil. Je me hâte de te prévenir. Écris-moi à Marseille (poste restante toujours sans prénom). Comme j'ai soif de vos nouvelles à tous, écris-moi sitôt cette lettre reçue, mon Adèle, et toi aussi, ma Didine. Dites-moi tout ce que vous faites et si vous vous amusez bien, comme je l'espère. [...] Je ferme cette lettre pour qu'elle parte tout de suite ; je t'embrasse, mon Adèle toujours aimée et vous tous. »

Ton Victor

Victor Hugo, *Alpes, de la Haute-Savoie à la Suisse*, fragments d'un voyage aux Alpes en 1825.

le son [d]

A. Je découvre

Du bio en direct du jardin *Des produits frais et moins chers, puisque de saison et vendus sans intermédiaires entre vous et le producteur :* *www.tousaubio.com*

Salades À cueillir directement à la ferme !
C'est pratique et économique !

Épinards Consommer local : www.lelocavore.fr

Radis Partez tard au marché. La dernière heure, les marchands vendent leurs produits à prix réduits. Profitez d'une addition légère !

Tapenade Au marché toujours, bavardez avec le boulanger, faites un sourire au boucher, une blague au vendeur de brioche ou de tapenade et… bon appétit !

1 GRAPHIES

a Je lis le texte. J'entoure les « d » en bleu, « b » en rouge, « p » en vert et « q » en noir.

b J'écoute le texte et je souligne les mots avec le son [d]. Quelles sont les graphies de [d] ?

....

Le double d est très rare : *l'addition, additionner, le caddie.*

2 ÉCRITURE

a J'observe et j'écris la lettre « d ».

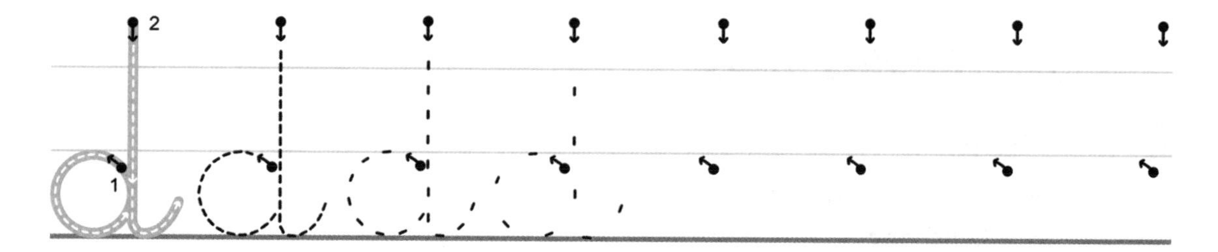

b J'écris la phrase et j'ajoute les majuscules si nécessaire et la ponctuation.
demain daniel va demander à dominique de l'aider à faire une addition difficile

....

A-Z **3** **MOTS INVARIABLES** B1/B2

Je complète le texte avec le mot proposé et j'ajoute l'apostrophe (') si nécessaire.

(aujourdhui) *aujourd'hui*, c'est le grand départ. Il faut *(dabord)* .... préparer la voiture. Ensuite, on fait les sandwichs, *(daccord)* .... ? Et on part. *(dailleurs)* .... je dois te dire que *(dorénavant)* ...., j'aimerais bien voyager *(davantage)* .... Il y a beaucoup *(davantages)* .... à découvrir d'autres pays. *(désormais)* .... nous partirons chaque année.

157 **4** **DISCRIMINATION** Passé récent ou présent de *venir* + infinitif ? B1/B2

a J'écoute et je coche la phrase entendue.

1 ❑ *Tu viens lui parler ?* ☒ *Tu viens de lui parler ?*
2 ❑ Je viens lui dire. ❑ Je viens de lui dire.
3 ❑ Nous venons nous excuser. ❑ Nous venons de nous excuser.
4 ❑ Elle vient diner. ❑ Elle vient de diner.
5 ❑ Je viens voir l'appartement. ❑ Je viens de voir l'appartement.
6 ❑ Ils viennent s'inscrire à l'examen. ❑ Ils viennent de s'inscrire à l'examen.

b Je coche la bonne réponse :

Quand j'entends « **de** », le verbe est : ❑ au passé récent ❑ à l'infinitif

158 **5** **DISCRIMINATION**

J'entends [t], [d] ou [-] ? J'écoute et je note sous chaque lettre « d ».

1 *Quand il pleut, il se balade sous la pluie à Saint-Cloud.*
........*t*....................*d*....................*d̸*........

2 Quand es-tu revenu au Danemark ? Quand est-ce que tu me réponds ?
....

3 Cet homme est destiné à un grand avenir. C'est un grand professionnel.
....

B. Je crée des liens

A-Z **6** **PRÉFIXE** de / des

J'écris le verbe contraire.

• **Dé + Consonne :**

faire → défaire la valise.

1 rouler → .... un tapis
2 coller → .... un timbre
3 tacher → .... une robe
4 placer → .... un objet
5 être scolarisé → ....
6 se maquiller → ....

• **Dés + voyelle :**

être équilibré : être déséquilibré

1 s'intéresser : ....
2 s'habiller : ....
3 être informé : ....
4 être obéissant : ....
5 être en ordre : ....
6 espérer : ....

A-Z **7** SUFFIXE -ade

a Je passe du verbe au nom. J'ajoute l'article.

baigner : la baignade, promener : ...., fusiller : ....,
bousculer .... , rigoler : ...., glisser : ....,

b Je coche la bonne réponse :

Les noms en **-ade** sont ❑ masculins ❑ féminins.

Les adjectifs en **-ide / -ade** ont la même forme au masculin et au féminin : *rapide, solide, stupide, avide, acide, timide, splendide, raide, vide, malade…*

8 GRAMMAIRE

Je complète avec « de », « d' », « du », « de la », « de l' », « des ».

1 Je reviens *de* Paris, ... Mexique, ... Allemagne, ... États-Unis.
2 Je vais acheter .... café, ... œufs, ... eau, mais pas .... légumes.
3 Il habite près .... ici, en face .... gare, à côté .... cinéma, pas loin .... arrêt .... bus.

9 CONJUGAISON verbe en -dre au présent

159 **a Je conjugue au présent et j'écoute pour vérifier.**

1 *vendre : je vends, tu vends, il vend.*
2 comprendre → ....
3 prendre → ....
4 répondre → ....
5 attendre → ....

160 **b Je conjugue au présent. et j'écoute pour vérifier.**

1 *craindre : je crains, tu crains, il craint.*
2 peindre → ....
3 atteindre → ....
4 se plaindre → ....

10 CONJUGAISON

Je complète avec les verbes conjugués au présent.

1 *(confondre)* Les étudiants .... souvent « cadeau » et « gâteau ».
Mais cette étudiante ne .... pas ces deux mots.

2 *(attendre)* Les enfants .... le bus pour partir en voyage scolaire.
Le professeur .... avec eux.

3 *(répondre)* Tu .... au téléphone, tes sœurs ne .... jamais.

Les verbes en **-eindre / -aindre** : *il peint/ils peig**n**ent, il craint/ils craig**n**ent*

A-Z **11** **HOMOPHONES** **Je complète les phrases.**

1 [di] (dit / dix) → Il m'a *dit* qu'il avait acheté *dix* livres d'occasion.

2 [vɑ̃] (vend / vent) → Quand un .... froid souffle, on .... des boissons chaudes.

3 [dɔ̃] (don / dont) → Ce .... je suis persuadé, c'est qu'il a un .... pour le piano.

4 [fɔ̃] (font / fond) → Ils .... du ski de .... au Grand Bornand.

12 **MOTS VOISINS** → voir [t]

a **Je complète les phrases.**

1 (doux / tous) → *Tous les tissus sont très doux.*

2 (aidé / été) → Il a .... ses parents tout l'.............. .

3 (tête / dette) → Il a mal à la .... à cause de ses ....

4 (vite / vide) → Donne-moi .... la bouteille .... !

161 b **J'écoute et je répète en distinguant bien les mots voisins.**

C. J'écoute, j'écris, je dis

162 **13** **DICTÉE** A1/A2 **J'écoute et j'écris le texte. Puis je vérifie avec la transcription.**

....

....

....

163 **14** **DICTÉE** B1/B2 **J'écoute et j'écris le texte. Puis je vérifie avec la transcription.**

....

....

....

164 **15** **LECTURE À VOIX HAUTE** B1/B2

Je lis et j'écoute cet extrait du roman de Véronique Ovaldé. Je marque les pauses (/). Puis je le lis à voix haute.

Maria Cristina dès lors a posé chaque composante de sa vie autour d'elle comme autant de petits trésors, elle a essayé de comprendre le genre de résignation tranquille qui habitait Garland depuis si longtemps, cette conviction que ce qui doit advenir advient toujours et donc elle a décidé de laisser les choses apparaître et disparaître le plus doucement possible…

Véronique Ovaldé, *La grâce des brigands*, Éditions de l'Olivier, 2013.

le son [k]

A. Je découvre

RECETTE **QUICHE AUX COURGETTES ET FROMAGE DE CHÈVRE**

C'est l'été, le moment de cueillir les courgettes bien fraiches au jardin et de les cuisiner en quiche avec du fromage de chèvre ! Accompagnée d'une salade verte et de crudités, c'est délicieux.

INGRÉDIENTS
- 1 kilo de courgettes
- un quart de litre de crème
- cinq œufs
- 50 g de fromage de chèvre
- quelques grammes de Comté râpé (facultatif)
- 1/2 cuillère d'épices
- une pâte à tarte

PRÉPARATION
1. Étalez la pâte et piquez-la avec une fourchette.
2. Lavez et coupez les courgettes.
3. Faites-les cuire à la poêle ou dans une casserole.
4. Mettez-les sur la pâte.
5. Coupez le fromage et placez-le sur les courgettes.
6. Cassez les œufs et mélangez-les avec la crème.
7. Équilibrez l'assaisonnement.
8. Faites cuire au four pendant quarante minutes.

CONSEILS TECHNIQUES Contrôlez bien la cuisson : arrêtez quand la crème a une belle couleur dorée.
Découpez des morceaux, piquez-les avec des cure-dents et la quiche se transforme en bouchées apéritives !

1 GRAPHIES

➡ voir [s/z] - [ʃ]

a J'écoute et je lis le texte. Quelles sont les graphies de [k] ? ....

b Dans quels mots la lettre « c » ne se prononce pas [k] ? Comment se prononce-t-elle ?

....

c Je complète la règle de prononciation de la lettre « c » :

La lettre « **c** » se prononce **[k]** devant les lettres «.... », « .... », « .... ».
Elle se prononce **[s]** devant les lettres « .... » et « .... » et « **y** » : *bicyclette.*

2 ÉCRITURE

a J'observe et j'écris les lettres « k » et « qu ».

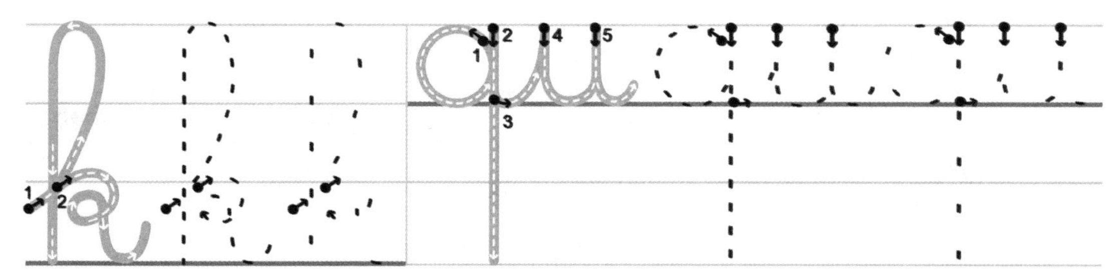

b J'écris la phrase et j'ajoute les majuscules si nécessaire et la ponctuation.
carole kévin et christian ont traversé l'océan atlantique pour découvrir le québec au canada

....

le son [k]

166 3 MOTS INVARIABLES les onomatopées

J'écoute et j'associe le cri à l'animal : *cui cui*, cocorico, coa, coucou, cot cot, coin coin.

l'oiseau	cui cui	la poule	....	le coucou	....
le canard	....	le coq	....	la grenouille	....

4 MOTS INVARIABLES B1/B2

Je complète avec : *quelque part*, quelquefois, quelqu'un, quelque chose, quelque temps.

J'ai perdu mon portable ; je l'ai mis quelque part mais je ne sais plus où.

1 Tu veux .... ? Qu'est-ce que tu veux ?

2 Il y a .... qui sonne à la porte.

3 J'y vais d'habitude en train mais j'y suis allée .... en voiture.

4 Depuis .... je ne le vois plus, je m'inquiète.

167 5 DISCRIMINATION

➥ voir [g]

a Je lis et j'écoute. J'entends [k] (1) et [g] (2) dans quel ordre ?

1 Ce vin *classé* est *glacé*. ...1-2...

2 Depuis quand habitent-ils à Gand ? ....

3 Le goût exceptionnel de ce fromage justifie son coût. ....

4 Écoute-moi : égoutte les pâtes. ....

5 Il va la casser et ça va l'agacer. ....

6 Ce gars est un cas ! ....

b Je réécoute et je répète.

168 6 DISCRIMINATION

➥ voir [g]

a J'écoute et je classe les mots dans le tableau.

la fac – un truc – un estomac – du basilic – le bac – un bec – le tabac – un arc – un sac – un banc – le public – un choc – un porc – un hamac – l'échec – le tronc

Lettre « c » prononcée	Lettre « c » non prononcée
la fac, ...	....
....	....

b Je coche la bonne réponse :

En général, le « **c** » final ❑ est prononcé ❑ n'est pas prononcé.

c **J'écoute et je souligne la lettre « q » quand elle est prononcée.**
J'en ai cinq – cinq cents euros – cinq enfants – cinq ou six – cinq mille euros – cinq livres – cinq histoires – cinq pains – cinq minutes

7 DISCRIMINATION « cc » + voyelle

a **Je classe les mots dans le tableau selon leur prononciation.**
accord – accident – occasion – accomplir – accepter – vaccin – accuser – occuper – occident – succès.

[k]	[ks]
accord, ...	....
....	....

b **Je complète avec :**

« **cc** » + les voyelles ....., ... se prononce **[ks]**, « **cc** » + les voyelles ....., ..., ... se prononce **[k]**.

c **J'écoute pour vérifier.**

8 GROUPES CONSONANTIQUES

a **J'ajoute « l » ou « r » après la lettre « c » et je dis le mot à voix haute.**
1 *un crabe* 2 une c....oche 3 un c....ocodile 4 un c....i 5 un c....ou 6 un c....ayon
7 une c....aie 8 une c....é 9 un c....oissant 10 un c....ient 11 un éc....air 12 un suc....e

b **J'écoute pour vérifier.**

B. Je crée des liens

9 CHOIX DE LA GRAPHIE

a **Je complète avec « c » ou « qu » pour faire [k]. Je prononce les mots.**
une carte – une ....ulotte – une ban....e – un dis....ours – un auto....ar – le ....artier – un ....ube – un vol....an – la musi....e – un hari....ot – une ....antité – une ....as....ade – la politi....e

b **Je complète avec « c » ou « cc ».**
accrocher – un a.....robate – d'a.....ord – un a.....ueil– une a.....adémie – a.....ompagner – a.....user – un a.....ompte – un a.....teur – a.....omplir – a.....upuncture

Les mots qui commencent par **[ak]** s'écrivent en général avec « **cc** » sauf : *acoustique, académie, acompte, acrobate* et tous les mots qui commencent par « **act-** » : *actif, acteur...*

le son [k]

10 D'UN MOT À L'AUTRE 

a Je trouve l'adjectif à partir du nom.

1 Il travaille à la *bibliothèque*, il est *bibliothécaire*.

2 J'ai rendez-vous à la ban............, je vais parler avec mon conseiller des frais ban............ .

3 J'aime le Mexi............ et la cuisine mexi............ .

4 L'École de la Républi............ doit transmettre les valeurs républi............ .

5 Il écoute beaucoup de musi............, il a l'oreille musi............ .

b Je trouve le nom à partir du verbe

1 Il est *syndiqué*. Il a adhéré à un *syndicat* ouvrier.

2 Il a été cho............ par le divorce de ses parents. C'était un vrai cho............ .

3 Tu voudrais m'expli............ ? Les expli............ du dictionnaire ne sont pas claires.

4 Les politiciens apprennent à communi............ avec des spécialistes de la communi............ .

5 La circulation est blo............ . Le blo............ vient d'un camion en panne.

11 MOTS EN SÉRIE

a Je classe chaque mot selon la prononciation [k] ou [s] des deux lettres « c ».

caricature – commencer – couvercle – circulation – calculer – actrice – cycliste – cerceau – correction – vacances – celui-ci – certificat – cercueil – celle-ci – commercial – exercice.

[k] [k]	[k] [s]	[s] [k]	[s] [s]
caricature, ...	....	....	....
....	....	....	....
....	....	....	....

172

b J'écoute pour vérifier.

12 PRÉFIXE co /con/com (du latin "cum" = avec) B1/B2

Je complète le mot avec le préfixe « co /con/com » et je double la consonne si nécessaire.

Cette conjugaison n'est pas correcte.

1 Je suis partie en week-end avec mon ....pain de lycée en ....pagnie de ses parents.

2 Ces deux laboratoires ne sont pas ....currents. Ils ont décidé de ....laborer.

3 La ....respondance de Simone de Beauvoir avec Nelson Algren est passionnante.

13 SUFFIXE -ique

Je trouve l'adjectif à partir du nom.

1 un, une → *unique*

2 sympathie → ....

3 histoire → ....

4 économie → ....

5 désert → ....

6 psychologie → ....

14 GRAMMAIRE

Je complète les questions avec : *quand*, jusqu'à quand, à partir de quand, depuis quand, comment, pourquoi, qui, quoi, quel(le)

Tu pars *quand* ?

1 .... tu pars ?
2 À .... endroit tu vas ?
3 Tu resteras .... ?
4 Tu sais .... la date de ton départ ?
5 Tu vas faire .... là-bas ?
6 Avec .... tu pars ?
7 Dans .... ville tu dormiras ?
8 Je peux t'appeler .... ?
9 Tu voyageras .... ?

15 GRAMMAIRE « c » → que B1/B2

→ voir [H]

Je mets l'adjectif au féminin.

un bain turc → une mosquée turque

1 un jardin public → une place ....
2 un contrat caduc → une loi ....
3 un enseignement laïc → une école ....
4 un temple grec → une île ....

16 MOTS TRONQUÉS ET FAMILIERS B1/B2

a J'écris le mot tronqué qui se termine par « c ».

la faculté → la fac
un document → ....
la provocation → ....
un réactionnaire → ....
un colocataire → ....
les allocations → ....

b J'associe le mot familier avec le mot standard.

1 un livre
2 *un parapluie* → d *un pébroc*
3 un homme
4 l'argent

a du fric
b un mec
c un bouquin
d *un pébroc*

17 HOMOPHONES

Je complète les phrases.

[kok] (le coq / la coque) → *Je déjeunais avec un œuf à la coque quand j'ai entendu le coq chanter.*

1 [ʀɔk] (un roc / le rock) → Solide comme un ...., il danse le .... pendant des heures.

2 [kɛl] (quelle / qu'elle) → Elle a dit .... arriverait à .... heure ?

3 [kɛl] (quel / qu'elle) → .... dommage .... ne parle pas français.

18 MOTS VOISINS

a Je complète les phrases.

1 *(oncle / ongle) → Mon oncle s'est cassé un ongle.*

2 (classe / glace) → Il n'y a pas de .... dans la ....

3 (car / gare) → Ce .... va à la ....

4 (cris / gris) → L'homme en .... pousse des ....

173 **b J'écoute et je répète en distinguant bien les mots voisins.**

C. J'écoute, j'écris, je dis

174 **19 DICTÉE** A1/A2 **J'écoute et j'écris le texte. Puis je vérifie avec la transcription.**

....

....

....

....

175 **20 DICTÉE** B1/B2 **J'écoute et j'écris le texte. Puis je vérifie avec la transcription.**

....

....

....

....

....

176 **21 LECTURE À VOIX HAUTE** B1/B2

J'écoute et je lis l'extrait du roman de Dany Laferrière. Je note les pauses (/) et je souligne les graphies de [k]. Puis je lis le texte à voix haute.

La mère de Rico vend des robes au marché. Des robes qu'elle confectionne elle-même. Ses clients sont pour la plupart des paysans des environs de Petit-Goâve. Ils descendent en ville vendre leur café, et remontent quelquefois avec une robe pour leur femme. La mère de Rico coud de jolies robes, simples et colorées, qu'elle étale par terre, juste devant elle. Je la vois toujours assise sur une minuscule chaise. Il arrive qu'un client réclame la robe qu'elle est en train de terminer. Dans ce cas, elle demande au client d'aller faire un tour et de revenir dans une dizaine de minutes, le temps de faire l'ourlet. Des fois quand le tissu manque, la mère de Rico n'hésite pas à ajouter un morceau de tissu de couleur différente. Il lui arrive aussi de faire une robe avec cinq morceaux de tissus de couleurs différentes, souvent de couleurs très vives. Heureusement qu'elle ne demande pas trop cher pour ces robes bariolées. Cela permet aux paysans les moins fortunés de rapporter quelque chose à leur femme.

Dany Laferrière, *Le charme des après-midi sans fin*, éditions Le serpent à plumes, 1997.

le son [g]

2.6

A. Je découvre

GUIGNOL !

Guignol est une marionnette française, créée à Lyon vers 1808. Il a un long succès auprès des enfants.
C'est le personnage principal d'un théâtre de marionnettes comique très agréable à regarder. Accompagné de son camarade Gnafron et de sa femme Madelon, il fait des blagues. Il a la langue bien pendue* pour raconter les injustices des petites gens. Personnage assez ambigu, à la fois naïf et malin, honnête, agressif et bagarreur, il frappe à gogo** avec son gourdin*** les méchants qui l'agacent.
Le théâtre Guignol s'est développé grâce aux spectacles organisés à Paris et dans les grandes villes. Il y a une dizaine de théâtres Guignol aujourd'hui dans l'agglomération parisienne.

*Être bavard, ** beaucoup, ***un gros bâton

177

1 GRAPHIES

a J'écoute et je lis le texte. Quelles sont les graphies du son [g] ? ....

b Dans quels mots la lettre « g » ne se prononce pas [g] ? Comment se prononce-t-elle ?

....

c Je complète la règle de prononciation de la lettre « g » :

➥ voir [ʒ] [m], [n], [ɲ]

La lettre « **g** » se prononce **[g]** devant « ...... », « ...... » et « ...... » et consonne. a, o, u .
Pour prononcer toujours **[g]** devant les voyelles « ...... , ... » et « **y** », il faut écrire « **gu** » .

Il y a peu de mots avec deux « **g** » : *une a**gg**lomération, s'a**gg**lutiner, a**gg**raver.*
Attention : les deux « **g** » se prononcent **[gʒ]** dans les mots : *suggérer* [sygʒeʀe] et *suggestion* [sygʒɛstjɔ̃].

2 ÉCRITURE

a J'observe et j'écris les lettres « g » et « gu ».

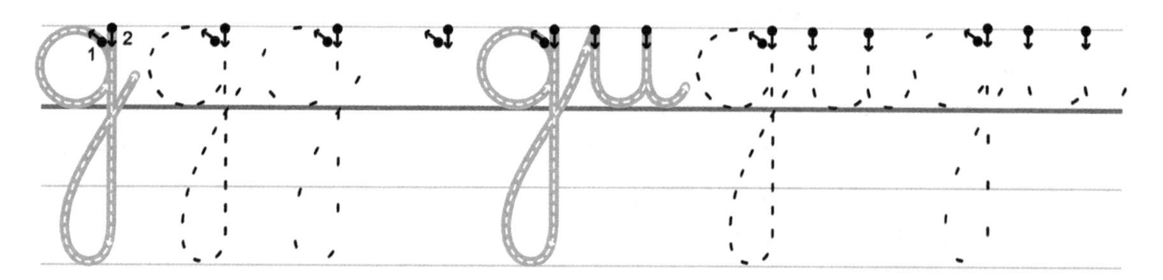

b J'écris la phrase. J'ajoute les majuscules si nécessaire et la ponctuation.

gaëlle et guillaume se déguisent en grenouille et en dragon pour aller au carnaval

....

178 **3 DISCRIMINATION** voir [k]

a Je lis et j'écoute la différence entre les deux phrases.

A	B
1 ☒ Je regarde dans la classe.	❑ Je regarde dans la glace.
2 ❑ Où sont les bacs ?	❑ Où sont les bagues ?
3 ❑ Mon oncle est guéri.	❑ Mon ongle est guéri.
4 ❑ Il arrive en car.	❑ Il arrive en gare.
5 ❑ Ça ne coûte pas.	❑ Ça ne goutte pas.
6 ❑ Ils sont à Caen.	❑ Ils sont à Gand.

179 **b J'écoute. Je n'entends qu'une phrase. Laquelle ? Je coche la phrase entendue (dans 3a).**

180 **4 DISCRIMINATION** voir [ʒ]

a J'écoute les mots. Je coche quand j'entends le [g] final.

☒ *gag* , ❑ vingt, ❑ sang, ❑ gang, ❑ rang, ❑ long, ❑ poing, ❑ doigt, ❑ parking, ❑ hareng, ❑ ping-pong, ❑ camping.

b Je coche la bonne réponse :

Les mots où j'entends le **[g]** final sont ❑ masculins ❑ féminins.

A-Z **5 GROUPES CONSONANTIQUES** B1/B2

a Je complète avec « gl » ou « gr » et je dis le mot à voix haute.

Une *grosse glace* aux ......oseilles – un pro......amme politique a......essif – les rè......es d'ortho......aphe et de ......ammaire – Une échelle ......issante pour ......imper au ......enier – un immi......é ......ec ......orieux – une visite a......éable et ......atuite dans une é......ise.

181 **b J'écoute pour vérifier.**

B. Je crée des liens

A-Z **6 CHOIX DE LA GRAPHIE** [ʒ] – [g] B1/B2 voir [ʒ]

a Je complète avec « g » ou « gu ».

1 soigner le *genou* de la ......enon.
2 ......érir une maladie ......énétique.
3 jouer de la ......itare ......itane.
4 faire de la ......ymnastique avec ......y.
5 acheter une horlo......e dans un catalo......e.
6 navi......er sur les va......es avec une piro......e.
7 man......er une man......e.

182 **b J'écoute pour vérifier.**

7 CHOIX DE LA GRAPHIE

Je complète le nom de l'animal avec « g » ou « gu » et je l'écris sous la photo :

le kangourou – la ....êpe – le pin....ouin – le ti....re – la ....azelle – le ....orille – la ....enon – la ....renouille.

a .... b .... c .... d ....

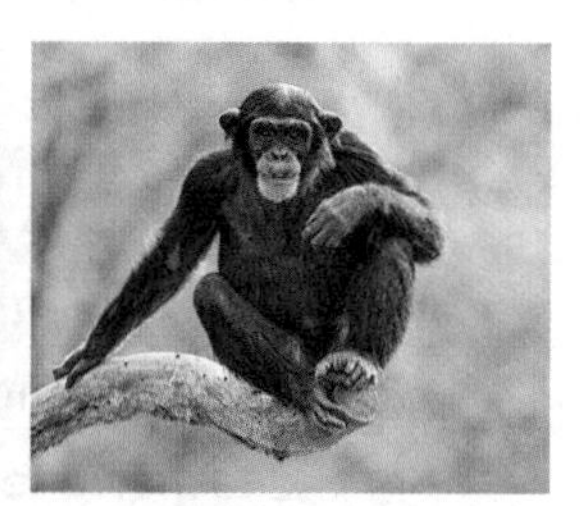

e .... f .... g *le kangourou*......... h ....

8 D'UN MOT À L'AUTRE

a Je complète les comparaisons avec les adjectifs : *gai*, gras, léger, gros, maigre, gris, agile, grand.

1 *gai comme un pinson*
2 .... comme un mouchoir de poche
3 .... comme un cochon
4 .... comme un singe
5 .... comme un camion
6 .... comme un clou
7 .... comme une plume
8 .... comme une souris

b Dans quels adjectifs la lettre « g » ne se prononce pas [g] ? : ....

183

c J'écoute pour vérifier.

9 MOTS DE LA MÊME FAMILLE

Je trouve au moins deux mots de la même famille et je les écris.

grand, *grande*, *grandement*, *la grandeur*, *grandir*, *agrandir*, *un agrandissement*

1 le goût, ...

2 la garde, ...

3 la gare, ...

4 la guerre, ...

le son [g]

10 MOTS DE LA MÊME FAMILLE

a Je trouve un mot plus court de la même famille et je l'écris. Je souligne la lettre « g » quand elle est prononcée.

1 *doigté* → *doigt* 2 sanguin, sanguinaire → .... 3 rangée → ....

4 poignée → .... 5 longue, longueur → ....

184

b J'écoute pour vérifier.

c Je coche la bonne réponse :

Dans les mots courts, la lettre « **g** » est ❑ prononcée ❑ n'est pas prononcée.

La lettre « **g** » ne se prononce pas dans : *longtemps, vingt, vingtaine* et *vingtième, doigt, doigté* (mais on l'entend dans le mot « digital »).

11 SUFFIXE -logue [lɔg] et -logie [loʒi]

→ voir [ʒ]

a Je trouve le nom du spécialiste et de la science à partir du mot.

Un astre → *un ou une astrologue, l'astrologie*

1 un neurone → ....
2 la musique → ....
3 la société → ....
4 le poumon → ....
5 le psychisme → ....
6 le cœur → ....

Le suffixe « **-logue** » vient du grec ancien « logos » et signifie « étude ». Il est apparu en français au XVIIe siècle et a remplacé de plus en plus le suffixe « **-logiste** » : *biologiste.*

b Je coche la bonne réponse :

Les mots terminés par le suffixe « **-logie** » sont : ❑ masculins ❑ féminins.

12 ACCENTS et AUTRES SIGNES

a Je mets les adjectifs au féminin.

1 *des sièges contigus* → *des chambres contiguës*
2 un accent aigu → une voix ....
3 un appartement exigu → une cuisine ....
4 des propos ambigus → des phrases ....

185

b J'écoute et je répète.

13 HOMOPHONES

Je complète les phrases.

1 [gɛʀ] (guerre / guère) → *Pendant la guerre, on n'a guère d'argent.*

2 [gɔlf] (golfe / golf) → Il joue au .... près du .... de Gascogne.

3 [gut] (goûtent / goutte) → Il faut réparer le robinet qui .... avant que les enfants ....

4 [dwa] (doigt / doit) → Sur un écran tactile, on .... utiliser son .... à la place de la souris.

5 [sɑ̃] (sang / sans) → .... hésiter, il donne son ....

A-Z **14 MOTS VOISINS** B1/B2 ➥ voir [ʒ]

a Je complète les phrases.

1 *(j'ai / guet) → J'ai besoin que tu fasses le guet.*

2 (guerre / gère) → Le ministère des armées .... les affaires de la ....

3 (collège / collègue) → Il fait une réunion avec ses .... du ....

4 (léger / léguer) → Il veut .... un .... capital à une association.

5 (longe / longue) → Le canal .... une .... route.

186 **b J'écoute et je répète en distinguant bien les mots voisins.**

C. J'écoute, j'écris, je dis

187 **15 DICTÉE** A1/A2 **J'écoute et j'écris le texte. Puis je vérifie avec la transcription.**

....

....

....

....

....

....

....

188 **16 DICTÉE** B1/B2 **J'écoute et j'écris le texte. Puis je vérifie avec la transcription.**

....

....

....

....

....

....

....

....

2.6 le son [g]

189 **17** **LECTURE À VOIX HAUTE** 

J'écoute et je lis l'extrait du livre d'Akira Mizuyabashi. Je note les pauses (/) et j'entoure les sons [g]. Puis je lis l'extrait à voix haute.

Ma mère mit un garçon au monde en août 1951 dans une petite ville de province du nord du Japon. L'enfant arriva aux aurores presque tout seul. C'était moi. Dix-neuf ans plus tard, je commençais à dire mes premiers mots en français. Depuis lors, je n'ai pas arrêté de naviguer entre la langue qui est la mienne, le japonais, parce qu'elle vient de mes parents, et le français qui est également la mienne parce que j'ai décidé de me l'approprier pour m'y installer, pour vivre en pleine conscience ma progressive accession à cette langue aimée et choisie.

Akira Mizubayashi, *Une langue venue d'ailleurs,* éditions Gallimard, 2011.

 190 **18** **LECTURE ET CULTURE**

a J'écoute et je lis le texte à voix haute. Je fais attention aux sons [k], [g], [ʒ].

La grotte Chauvet en Ardèche, une grotte exceptionnelle

Dans le sud de la France, cette grotte ornée est l'une des plus anciennes du monde. Elle date d'environ – 35 000 ans et a été découverte en 1994. Elle comporte un millier de peintures et gravures d'animaux de 14 espèces différentes. Elle est bien gardée et a toujours été fermée au public pour protéger sa conservation. Une copie a ouvert ses portes en 2015. La diversité et la maîtrise des techniques est exceptionnelle. Les artistes ont été capables de donner du volume et du mouvement aux animaux. Des visites guidées sont organisées. Vous garderez de ce voyage un souvenir inoubliable !

b Je complète les chiffres en lettres.

La grotte a été découverte en .... Elle date de .... Une copie a été ouverte au public en .... Il y a .... de peintures et de gravures de .... espèces différentes.

les sons [m], [n] et [ɲ]

2.7

A. Je découvre

santé

Étudiants,
comment mangez-vous ?

En général, les étudiants estiment qu'ils mangent correctement.

Mais dans la pratique, ils prennent de mauvaises habitudes alimentaires à partir de la première année à l'université parce qu'ils manquent de temps ou d'argent. « *Je ne mange jamais le matin en semaine*, reconnaît Magali, 21 ans, étudiante en management à Marseille. *Je préfère dormir un peu plus longtemps et me lever au dernier moment.* »

À cause de leur budget limité, ils consomment des produits bon marché, rapidement cuisinés et mangés : hamburger, pizza et biscuits qui leur donnent de l'énergie instantanément. Ils ignorent que c'est mauvais pour la santé. Les médecins signalent que l'hygiène alimentaire est importante pour le bon déroulement des études.

191 **1** GRAPHIES

➥ voir [ɛ̃], [ɑ̃], [ɔ̃]

a J'écoute et je lis le texte. Je souligne les sons [m], [n] et [ɲ] entendus.

b Quelles sont les graphies de [m], [n] et [ɲ] ? ....

c J'entoure les mots où l'on n'entend pas [m] dans la suite « voyelle + m » ni [n] dans la suite « voyelle + n ».

1 Comment se prononcent-ils ? ....

2 Quelle suite ne se prononce pas ? ....

2 ÉCRITURE

a J'observe et j'écris les lettres « m », « n » et « gn ».

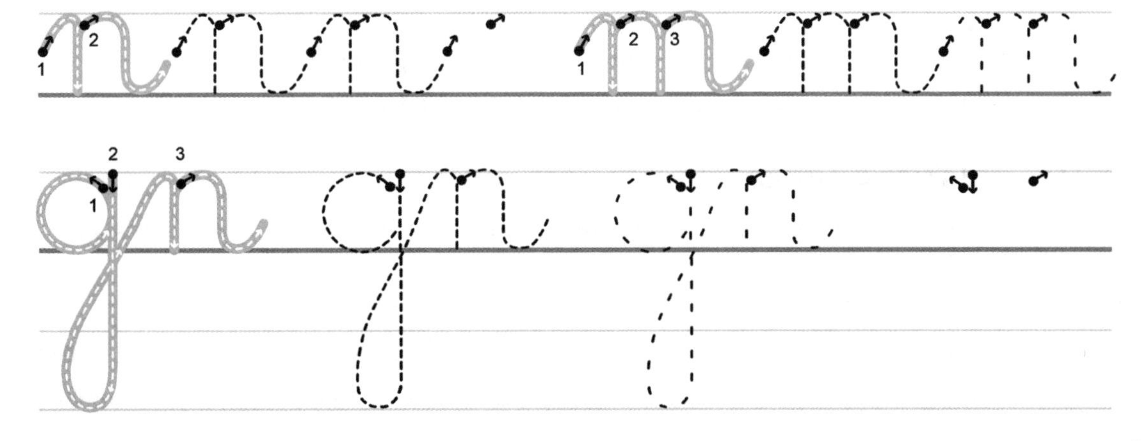

b J'écris la phrase et j'ajoute les majuscules si nécessaire et la ponctuation.

1 michel a accompagné marie et son mari à monaco puis au casino de monte-carlo

....

2 nathalie et nicolas partent maintenant en champagne fêter l'anniversaire de leur grand-mère noémie

....

3 SYLLABATION

a Je lis et je détache les syllabes. Je souligne les mots à une syllabe.

1 *lam/pa/daire*, amitié, ambassade, commande, comprendre, homme, ombre, impossible, immobile.

2 *ran/do/nnée*, connaître, content, minute, mince, banque, banane, genou, gentil, lundi, lune.

b J'écoute pour vérifier.

4 DISCRIMINATION

J'écoute et je complète avec « m », « n » ou « gn ».

La nomination – la ....i....ute – a....i....er – a....e....er – la ....onta....e – le ....i....i....u.... – ....i....uscule – la ....a....ière – le rensei....e....ent – ....ainte....ant – ....or....ale....ent – le si....ale....ent

La suite « **mn** » est prononcée dans *un hymne* [imn], *une amnésie* [amnezi]. « **m** » est muet dans *l'automne* [lotɔn], *la condamnation* [lakɔ̃danasjɔ̃], *damné* [dane]

B. Je crée des liens

5 CHOIX DE LA GRAPHIE

Je complète les mots.

- **Avec « m » ou « mm » :**

Un *homme* et une fe......e – le so......et de leur a......our – mais un a......ant pour Mada......e – le cri......e – des fla......es dans son so......eil – une victi......e – un dra......e i......ense.

- **Avec « n » ou « nn » :**

Énervé – e......uyé – un e......emi – l'ho......eur ou le désho......eur – une caba......e sous la lu......e – un assassi......at – co......aissance de l'infortu......e – fi......ir priso......ier.

6 D'UN MOT À L'AUTRE

a Je change les lettres de place et je trouve un nouveau mot qui commence par « m » ou « n »

maire → Marie	Mali →	tante →	rond → ....
rame →	ami →	une →	tente → ....
Milan →	mien →	mon →	venue → ....

b J'ajoute la lettre « g » devant la lettre « n » et j'écris le nouveau mot. J'ajoute l'article.

peine → *le peigne* – dine → .... – Chinon → .... – Line → .... – maline → .... – borne → .... – saine* → .... – anneau* → ....

* graphie légèrement différente

A-Z **7** **MOTS DE LA MÊME FAMILLE** [ɔ̃] → [ɔn]

a Je trouve le nom et le verbe avec « nn » et je les écris.

1 une prison → *un prisonnier, emprisonner*
2 un son → ....
3 une fonction → ....
4 un don → ....
5 un savon → ....
6 un bouton → ....
7 une vision → ....

194 **b J'écoute pour vérifier.**

Exceptions : les mots dérivés de « **son** » → *consonantique, consonance, résonance, sonate, sonore* et de « **don** » → *donation, donataire, donateur*, n'ont pas le double « **n** ». Il existe quelques verbes en « **-oner** » comme *téléphoner, zoner, détrôner, cloner*, mais le nom ne se termine pas avec une voyelle nasale : *un téléphone, une zone, un trône, un clone.*

A-Z **8** **MOTS DE LA MÊME FAMILLE**

a Je trouve deux mots de la même famille avec « gn ».

1 le vin → *la vigne, le vigneron, le vignoble*
2 un signe → ....
3 un bain → ....
4 un compagnon → ....
5 un soin → ....

195 **b J'écoute pour vérifier.**

A-Z **9** **MOTS DE LA MÊME FAMILLE** [ɛ̃] → [an] B1/B2 → voir [ɛ̃]

Je trouve le plus de mots possibles à partir du mot « main » et je fais une phrase avec quatre d'entre eux.

main → *manucure,* ....

....

10 **PRÉFIXE** in + m → imm B1/B2 → voir [ɛ̃]

a J'écris l'adjectif contraire.

matériel → *immatériel* – modéré → .... – mobile → .... – mortel → .... – moral → ....

196

b J'écoute le corrigé. Comment se prononce le préfixe « in » devant la lettre « m » ? ....

c Je complète avec les mots : immigrés, immenses, immédiatement.

Les .... ont besoin de commencer .... les démarches de régularisation. Les difficultés rencontrées sont ....

Le préfixe « **in** » devant « **m** » se prononce **[ɛ̃]** dans quelques mots seulement : immangeable, immanquablement, immettable.

11 PRÉFIXE in + voyelle ou « h »

a J'écris l'adjectif contraire.

utile → *inutile* – exact → .... – espéré → .... – adapté → .... – accessible → .... – explicable → .... – occupé → .... – humain → ....

b Je complète avec un des mots ci-dessus selon le contexte.

Cet appartement est .... et .... pour les handicapés.

Il est .... depuis longtemps.

197

c J'écoute le corrigé. Comment se prononce le préfixe « in » devant une voyelle ? ....

12 PRÉFIXE mal-

Je forme l'adjectif « négatif ».

heureux → *malheureux* – honnête → .... – adroit → .... – entendant → .... – voyant → .... – traité → .... – formé → ....

13 SUFFIXE -isme [ism]

A-Z

a Je cherche des mots avec le suffixe « isme ».

1 En politique et économie → *le capitalisme,* ....

2 En philosophie et art → *l'idéalisme,* ....

3 En médecine → *le rhumatisme,* ....

b Je coche la bonne réponse :

Les mots avec le suffixe « **-isme** » sont ❑ masculins ❑ féminins.

14 SUFFIXE -ement/emment

A-Z

a Je trouve l'adverbe à partir de l'adjectif.

ferme → *fermement* – rapide → .... – lente → .... – douce → .... – fréquent → .... – évident → .... – violent → .... – récent → ....

b J'écoute les adverbes et je les répète.

Le suffixe « **ement** » se prononce **[œmɑ̃]**.
Le suffixe « **emment** » se prononce **[amɑ̃]**.

15 CONJUGAISON

➡ voir [ɛ] et [ɛ̃]

a Je complète les verbes « prendre », « venir » et « tenir » et leurs composés à la 3ème personne du pluriel du présent.

1 apprendre, comprendre, surprendre : Les acteurs *apprennent* une pièce de théâtre, ils .... l'histoire, ils .... le public.

2 venir, se souvenir, revenir : Les Parisiens .... en vacances en Bretagne. Toute l'année, ils ...., ils .... l'été suivant.

3 appartenir, tenir, se soutenir, obtenir : Les grévistes .... à un syndicat, ils .... des réunions, ils ...., ils .... une augmentation.

b Je complète les verbes en -eindre, -aindre et -oindre aux trois personnes du pluriel du présent.

1 atteindre ➞ *Nous atteignons enfin le sommet de la montagne, vous atteignez, ils atteignent.*

2 éteindre ➞ Nous .... la lumière, ..., ...

3 peindre ➞ Nous .... des portraits, ..., ...

4 craindre ➞ Nous .... le froid, ..., ...

5 rejoindre ➞ Nous .... le groupe, ..., ...

16 HOMOPHONES

Je complète les phrases :

• **Avec la lettre « m » :**

[mi] (mi / mis) ➞ *Où as-tu mis le CD de la sonate en mi mineur de Mozart ?*

1 [lami] (l'ami / la mie) ➞ .... de Nicole adore .... de pain.

• **Avec la lettre « n » :**

2 [ʀɛn] (reine / rennes) ➞ La .... d'Angleterre a reçu un livre sur les .... du Canada.

3 [kan] (canne / cane) ➞ La vieille dame marche avec sa .... jusqu'au parc pour donner du pain à la .... et ses canetons.

4 [an] (Anne / âne) ➞ .... adore faire une randonnée avec un ....

• **Avec la suite « gn » :**

5 [pɛɲ] (peigne) ➞ Elle veut qu'il .... son portrait avec un .... dans les cheveux.

2.7

les sons [m], [n] et [ɲ]

A-Z

17 MOTS VOISINS

a Je complète les phrases.

1 (ami / Annie) → *Annie* a un *ami* américain.

2 (mon / nom) → .... est écrit sur ma carte de visite.

3 (en panne / campagne) → Il est .... dans la ....

4 (dîne / digne) → Très ...., elle .... avec le président.

5 (lignes / Line) → .... trace des .... sur le tableau

6 (agneau / anneau) → Il y a un .... attaché à un .... dans le ....

7 (champignons / opinion) → Le pharmacien donne son .... sur les .... récoltés.

199

b J'écoute pour vérifier et je répète les phrases.

Les Français prononcent de la même manière « **gn** » et « **ni** » + voyelle : *nous peignons* (verbe peindre au présent), *nous peinions* (verbe peiner à l'imparfait).

C. J'écoute, j'écris, je dis

200

18 DICTÉE A1/A2 J'écoute et j'écris la lettre de demande de stage. Puis je vérifie avec la transcription.

....

....

....

....

....

....

201

19 DICTÉE B1/B2 J'écoute et j'écris. Puis je vérifie avec la transcription.

....

....

....

....

....

....

....

....

....

20 LECTURE À VOIX HAUTE

J'écoute et je lis l'extrait du roman d'Aurélie Filippetti. Puis je le lis à voix haute en même temps que le locuteur.

Leurs pères étaient morts au même âge et leurs douleurs étaient sœurs. Hors de cela, rien ne les rapprochait. Ils atterrissaient de planètes différentes. Ils partageaient la même langue mais ils ne la parlaient pas de la même manière. Malgré seulement dix ans d'écart, ils avaient peu de souvenirs, d'émotions communes, n'aimaient pas les mêmes sports et, à l'époque où n'opéraient qu'une poignée de chaînes de télévision, ils ne regardaient pas les mêmes programmes. Lui, susurrait les mots plus qu'il ne les disait. Il appuyait sur la dernière syllabe de chaque phrase, marquait les liaisons des pluriels avec ce qu'il fallait de lenteur, comme tous ceux qui savourent leur maîtrise pointue de la langue. Elle avalait les mots avec l'avidité de ceux qui ont manqué de quelque chose. Elle avait une brutalité dans l'expression orale qui trahissait ses origines.

« *Les idéaux* » d'Aurélie Filippetti, © Librairie Artheme Fayard, 2018.

21 LECTURE et CULTURE

J'écoute et je lis le texte. Je note les pauses (/) et je souligne les sons [m], [n] et [ɲ]. Puis je lis à voix haute.

Marie Curie, Simone de Beauvoir, Simone Veil et beaucoup de femmes anonymes ou non ont mené dignement le combat du féminisme au 20e siècle.

Dès 1903, **Marie Curie** est la première femme à recevoir le prix Nobel pour ses découvertes en physique. Pendant les deux guerres mondiales, les femmes s'émancipent parce qu'elles travaillent. Elles sont infirmières dans l'armée ou fabriquent des munitions dans les usines. En 1945, elles votent pour la première fois à des élections municipales grâce au programme du gouvernement provisoire. Elles obtiennent enfin ce droit en remerciement de leur engagement dans la résistance.

« On ne naît pas femme, on le devient » écrit **Simone de Beauvoir** en 1949 dans son livre *Le Deuxième sexe*. C'est souvent comme épouse et mère qu'une femme est reconnue. Heureusement, à partir de 1967, les femmes peuvent choisir de donner naissance ou non, grâce à la pilule d'abord, puis à la légalisation de l'avortement, loi défendue par Simone Veil et signée en 1974.

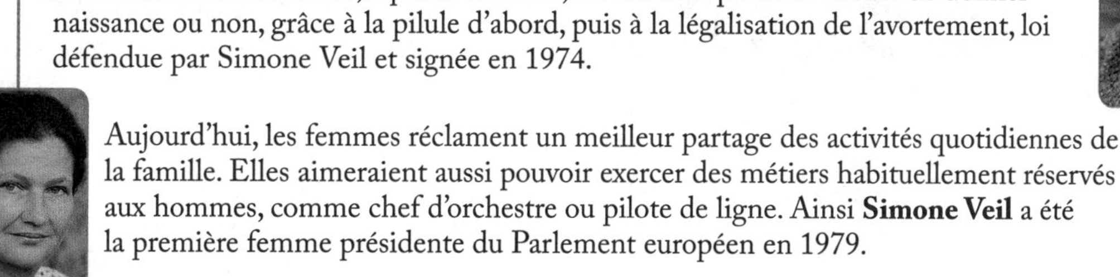

Aujourd'hui, les femmes réclament un meilleur partage des activités quotidiennes de la famille. Elles aimeraient aussi pouvoir exercer des métiers habituellement réservés aux hommes, comme chef d'orchestre ou pilote de ligne. Ainsi **Simone Veil** a été la première femme présidente du Parlement européen en 1979.

les sons [m], [n] et [ɲ]

22 LECTURE / CULTURE

Je complète la carte géographique de la France avec : la Champagne, la Bourgogne, l'Auvergne, la Bretagne, les Ardennes, la Normandie, les Pyrénées, le Rhône, la Seine, le Dauphiné, la Garonne.

1 ....
2 ....
3 ....
4 ....
5 ....

6 ....
7 ....
8 ....
9 ....
10 ....
11 ....

les sons [ʀ] et [l]

A. Je découvre

ENQUÊTE

Quel lecteur Quelle lectrice êtes-vous ?

1 **Quand lisez-vous ?** ❑ Le soir ? ❑ Le week-end ? ❑ En vacances ?
2 **Où lisez-vous ?** ❑ N'importe où ? ❑ Dans votre chambre ? ❑ Dans les transports en commun ?
3 **Que lisez-vous ?** ❑ Des romans ? ❑ Des nouvelles ? ❑ Des recueils de poèmes ? ❑ Des guides touristiques ? ❑ Des romans policiers ? ❑ De la science-fiction ?
4 **Que demandez-vous à un livre ?** ❑ De vous faire rêver ? ❑ De vous faire rire ? ❑ De vous faire pleurer ? ❑ De vous apprendre quelque chose ?
5 **Qu'aimez-vous regarder d'abord quand vous prenez un livre ?** ❑ Le titre ? ❑ L'auteur ? ❑ La couverture ? ❑ Le résumé au dos du livre ?
6 **Arrêtez-vous de lire un livre quand il vous ennuie ?** ❑ Oui ❑ Non
7 **Vous est-il déjà arrivé de lire plusieurs fois un livre ?** ❑ Oui ❑ Non
8 **Lisez-vous parfois plusieurs livres en parallèle ?** ❑ Oui ❑ Non
9 **Avez-vous déjà lu sur une liseuse, un livre électronique ?** ❑ Oui ❑ Non
10 **Demandez-vous conseil au libraire quand vous achetez un livre ?** ❑ Oui ❑ Non

204 **1 GRAPHIES** ➡ voir [e] et [j]

a J'écoute et je lis le texte. Quelles sont les graphies de [ʀ] et [l] ? ....

b Quelles sont les graphies avec « r » et « l » » qui se prononcent autrement ?

....

c J'écoute les réponses d'une personne à l'enquête.

2 ÉCRITURE

a J'observe et j'écris les lettres « l » et « ll », « r » et « rr ».

b J'écris la phrase. J'ajoute les majuscules si nécessaire et la ponctuation.

1 lundi louis et lola sont allés à lille pour la célèbre grande braderie ....

....

2 rose et rémi sont nés en roumanie et aimeraient habiter en rhône-alpes à lyon

....

2.8 **les sons [ʀ] et [l]**

205 **3** **DISCRIMINATION**

a J'écoute et je répète.

À l'initiale : 1 ☒ *lit* ❑ rit 2 ❑ lu ❑ rue 3 ❑ long ❑ rond
Entre voyelles : 4 ❑ Mali ❑ mari 5 ❑ galant ❑ garant 6 ❑ calotte ❑ carotte
Après consonne : 7 ❑ flanc ❑ franc 8 ❑ blanche ❑ branche 9 ❑ flic ❑ fric
En finale : 10 ❑ bal ❑ bar 11 ❑ pile ❑ pire 12 ❑ aile ❑ air

206 **b J'écoute un seul mot et je coche le mot entendu (dans 3 a).**

207 **c J'écoute et j'écris « r » et « l » à la bonne place.**

lourd – ...ou...er – une ...a...me – un p...ob...ème – la ...umiè...e – p...ai...e – d...ô...e – natu...e... – la pa...o...e – ...égè...e – f...agi...e – la ...ectu...e – géné...a... – la ...ibe...é

d Je complète avec « l » ou « r » et je lis la phrase à voix haute.

1 *Il* n'est pas capab...e de g...imper dans un arb...e.
2 Ce liv.....e est d...ô...e et t...iste à la fois.
3 En septemb...e, la rent...ée des c...asses s'est passée sans p...ob...ème.

208 **e J'écoute pour vérifier.**

209 **4** **DISCRIMINATION** B1/B2

a J'écoute les deux phrases et je les répète.

1 ☒ *Il mourait sans son chien.* ❑ Il mourrait sans son chien.
2 ❑ Vous préférez partir avec elle ? ❑ Vous préférerez partir avec elle ?
3 ❑ Elle a compris. ❑ Elle l'a compris.
4 ❑ Il attend encore ❑ Il l'attend encore.
5 ❑ On peut louer cet appartement ? ❑ On peut le louer, cet appartement ?

210 **b J'écoute et je coche la phrase entendue (dans 4 a).**

211 **5** **DISCRIMINATION**

➡ voir [ch] et [ɛ]

a Je lis et j'écoute. Je classe les mots gras dans le tableau.

1 *Le sucre peut calmer le goût amer.*
2 Pour être marin, il faut **aimer** la **mer**.
3 Ce **souper** est **super** !
4 La neige va **arriver** avec l'**hiver**.
5 Chez le **boucher**, le bœuf est **cher**.
6 Il ne faut pas **confier** un secret à ce garçon trop **fier**.

« er » prononcé [ɛʀ]	« er » prononcé [e]
amer, ...	*calmer*, ...

b Je complète la règle :

La terminaison « **-er** » des verbes et des noms de métiers se prononce [......].
Le suffixe des adjectifs se prononce [......].

B. Je crée des liens

6 D'UN MOT À L'AUTRE

a J'ajoute « r » et j'écris le nouveau mot.

1 *but* → *brut* 2 pend → il .... 3 peu → la .... 4 lame → une ....

b J'ajoute « l » et j'écris le nouveau mot.

1 cou → un *clou* 2 banc → .... 3 coupe → un .... 4 soupe → ....

212 **c J'écoute pour vérifier.**

7 D'UN MOT À L'AUTRE

Je trouve un nouveau mot avec les lettres du mot souligné.

On joue au *bras* de fer dans les <u>bars</u>.

1 Sa maison est .... du <u>porche</u>.

2 La balle de golf a fait le <u>tour</u> du .... avant de tomber dedans.

3 Il .... ce papier sur la <u>pile</u>.

4 Il suit la .... de l'animal sur la <u>carte</u>.

8 MOTS EN SÉRIE

J'écris des mots nouveaux avec les terminaisons [ɔl], [aʀ], [ɛʀ], [ɛl].

- **Mots en [ɔl]** → *un bol* – un c........ **ou** la c........ , le s........ , un v........ **ou** il v........
- **Mots en [aʀ]** → une b........ **ou** un b........ , un c........ **ou** un qu........ , la g........ , p........ ici **ou** la p........
- **Mots en [ɛʀ]** → f........ **ou** le f........ , la m........ **ou** la m........ , le p........ **ou** il p........ , un v........ **ou** v........
- **Mots en [ɛl]** → le s........ **ou** c........ -ci, lequ........ **ou** laqu........ .

9 MOTS DE LA MÊME FAMILLE

Je trouve deux mots de la même famille.

terre → *terrain, terrasse, terroir, méditerranée*

1 parent → ....

2 courir → ....

3 mal → ....

4 nul → ....

5 difficile → ....

6 tranquille* → ....

7 lire → ....

* « **ill** » se prononce **[ij] sauf** : tranquille, ville, mille.

→ voir [j]

10 PRÉFIXE

a J'écris le verbe qui exprime la répétition, une réaction ou un retour en arrière.

- **re + consonne**

faire et *refaire* – lire et .... – commencer et .... – dire et .... – voir et .... – changer et .... – pousser et ....

2.8 les sons [ʀ] et [l]

• ré + voyelle

affirmer et *réaffirmer* – écrire et .... – inventer et .... – utiliser et .... – apparaître et .... – écouter et ....

• « r » devant a et en

s'habiller et *se rhabiller* – attraper et .... – attacher et .... – assurer et .... – s'endormir et .... – envoyer et ....

b Je complète le texte au présent avec « re », « ré » ou «r ».

Elle *rallume* la lampe. Elle *(lire)* .... le message. Elle *(s'habiller)* .... Elle (appeler) .... sa mère. Elle *(dire)* .... ce qu'elle sait. Elle *(écouter)* .... les commentaires. Elle *(assurer)* .... sa mère.

11 PRÉFIXE B1/B2

a Je forme l'adjectif négatif.

1 *réfléchi* → *irréfléchi* – responsable → .... – régulier → .... – réversible → .... – réel → .... – respirable → ....

2 *lisible* → *illisible* – légal → .... – logique → .... – limité → .... – lettré → .... – légitime → ....

b Je complète la règle :

En général, « **in** » devant « **r** » devient « ...... » et « **in** » devant « **l** » devient « ...... ».

12 GRAMMAIRE

a Je complète avec : « le », « la », « les » ou « l' » et j'associe à l'image.

La basilique du Sacré-Cœur → ..*d*..

1 ...... tour Eiffel → ......

2 ...... Arc de Triomphe → ......

3 ...... avenue des Champs-Élysées → ......

4 ...... musée du Louvre → ......

5 ...... Galeries Lafayette → ......

a

b

c

d

e

f

b Je coche la bonne réponse :

J'écris « **l'** » devant un nom ❑ féminin ❑ masculin qui commence par ❑ une voyelle ❑ une consonne.

213 **13 GRAMMAIRE**

J'écoute et je complète avec « elle » ou « il » ou « ils ».

1 *Ils sont mariés.*
2 .... passe l'aspirateur, ... passe la serpillère.
3 .... fait la lessive, ... fait la vaisselle.
4 .... prépare le déjeuner, ... prépare le dîner.
5 .... font les courses ensemble, ... vont au marché.
6 .... va chercher les enfants à l'école, ... fait faire les devoirs.
7 .... fait de la musique, ... chante.
8 .... fait du sport, ... préfère lire.

A-Z **14 GRAMMAIRE** adjectif masculin/féminin

a Je complète avec « el/elle », « al/ale », « er/ère » ou « eur/eure ».

1 *Un phénomène naturel* → *une protection naturelle* – un travail ponctu....... → une activité ponctu....... – Un client habitu....... → une journée habitu....... – Le monde actu....... → la vie actu.......

2 *Un chapeau original* → *une personne originale* – un temps idé....... → une température idé....... – un logement soci....... → une assistante soci....... – un film géni....... → une idée géni.........

3 *Un appartement cher* → *une maison chère* – un goût am....... → une orange am....... – le meill....... étudiant → la meill....... étudiante – un jardin intéri....... → une vie intéri.........

b Je coche la bonne réponse :

Ces adjectifs se prononcent de la même façon ❑ oui ❑ non.
Ils s'écrivent différemment ❑ oui ❑ non

15 CONJUGAISON le futur simple

a Je trouve la forme irrégulière du futur de ces verbes.

être → *je serai* – faire → je .... – aller → .... – envoyer → .... – venir → je .... – tenir → je .... – mourir → je .... – courir → je .... – cueillir → je ....

b Je trouve la forme irrégulière du futur des verbes en -oir.

1 *avoir* → *j'aurai* – voir → je .... – savoir → je .... – pouvoir → je .... – vouloir → je .... – recevoir → je .... – devoir → je .... – s'asseoir → je ....

2 pleuvoir → il .... – falloir → il .... – valoir → il ....

c J'écris quatre phrases avec ces verbes au futur.

Je vous enverrai une réponse dans une semaine.

....

les sons [ʀ] et [l]

16 CONJUGAISON le futur simple B1/B2

Dans la chanson « Un jour tu verras », Mouloudji décrit la rencontre des amoureux. Je conjugue les verbes au futur.

Un jour, tu *(voir) verras*, on *(se rencontrer)* ....,
Quelque part, n'importe où, guidés par le hasard,
Nous *(se regarder)* .... et nous *(se sourire)* ....,
Et, la main dans la main, par les rues nous *(aller)* ....
Le temps passe si vite, le soir *(cacher)* .... bien nos cœurs,
Ces deux voleurs qui gardent leur bonheur ;
Puis nous *(arriver)* .... sur une place grise
Où les pavés *(être)* .... doux à nos âmes grises.
Il y *(avoir)* .... un bal, très pauvre et très banal,
Sous un ciel plein de brume et de mélancolie.
Un aveugle *(jouer)* .... de l'orgue de Barbarie
Cet air *(être)* .... pour nous le plus beau, le plus joli !

Marcel Mouloudji / Georges Van Pary,1954.

17 GRAMMAIRE le conditionnel passé B1/B2

a Je complète les témoignages de l'inspecteur de police.

1 Le suspect *(partir) serait parti* en courant et il (monter) .... dans une voiture.

2 Il *(entrer)* .... dans un magasin et il *(disparaître)* .... dans la foule.

b J'écris deux autres témoignages avec le conditionnel passé.

....

....

c Je coche la bonne réponse :

Avec le conditionnel passé, l'information est ❑ confirmée ❑ non confirmée.

A-Z 18 HOMOPHONES B1/B2

a Je complète les phrases.

- [la] (la / l'a) → *Cette pièce de Molière, il l'a vue au moins dix fois et il la regarde encore.*

  1 Cette lettre, elle .... lit avec attention. Elle .... reçue ce matin.

  2 La convention était signée, mais la société ne .... pas respectée. Il faut .... changer.

- [lapɔʀt] (la porte / l'apporte) → Pour cette soirée au casino, elle a une robe rouge. Elle .... avec un foulard gris. Le lendemain, elle .... au pressing.
- [latɑ̃] (la tend / l'attend) → Il .... sur la place. Elle arrive. Il sort la main de sa poche et .... pour lui dire bonjour.

b Je complète les phrases.

1 [tuR] (le tour / la tour) → Ils sont partis faire .... de .... Eiffel.

2 [kuR] (cours / cour / court) → Je .... un .... instant dans la .... pour aller à mon ....

3 [maR] (marre / mare) → J'en ai .... du bruit que font les canards dans la ....

4 [ɛl] (elle / aile) → Regarde la poule. .... a mis son petit sous son ....

5 [sal] (sale / salle) → La .... de classe est ....

6 [mal] (mal / malle) → Je me suis fait .... contre la ....

7 [sɛl] (sel / celle) → Tu as mis le .... dans une salière, dans ....-ci ou ....-là ?

8 [kɔl] (la colle / le col) → J'ai de .... sur .... de ma chemise.

19 MOTS VOISINS

a Je complète les phrases.

1 (lire / rire) → *Je viens de lire un livre qui m'a fait rire.*

2 (arbre / arabe) → Le cèdre est un .... symbole d'un pays ....

3 (perte / prête) → Après la .... de mon portefeuille, la banque me .... de l'argent.

4 (blanche / branche) → Elle a accroché sa robe .... sur une ....

5 (flics* / fric**) → Les .... ont découvert une valise pleine de ....

Mots familiers : *policier, **argent

214 **b J'écoute et je répète en distinguant bien les mots voisins.**

C. J'écoute, j'écris, je dis

215 **20** DICTÉE A1/A2 **J'écoute et j'écris. Puis je vérifie avec la transcription.**

....

....

....

....

....

216 **21** DICTÉE B1/B2 **J'écoute et j'écris. Puis je vérifie avec la transcription.**

....

....

....

....

....

....

....

2.8 les sons [R] et [l]

22 LECTURE À VOIX HAUTE

Je lis le souvenir de Jean-Pierre Andrevon et j'écoute. Je note les pauses (/). Puis je lis l'extrait à voix haute en même temps que le locuteur..

Je me souviens des sorties de ski à Chamrousse, le dimanche. Je me souviens qu'au retour, à peine descendus de l'autocar, nous allions faire d'interminables aller-retour, planches à l'épaule, entre la place Grenette et la place Victor Hugo, pour nous montrer et attirer l'attention des filles. [...] Je me souviens que, lorsque je n'avais pas assez d'argent pour monter au ski, je mettais à six heures du soir, ma tenue de neige, je prenais planches et bâtons, et j'allais attendre mes copains à l'arrêt de l'autocar, pour participer avec eux à cette parade des frimeurs.

Jean-Pierre Andrevon, *Je me souviens de Grenoble*, Éditions Curandera, 1993.

23 LECTURE À VOIX HAUTE

Je lis l'extrait du roman d'Annie Saumon et je l'écoute. Je note les pauses (/) et je barre les « e » qui ne sont pas prononcés. Puis je lis l'extrait à voix haute.

Elle prend sous le bras ses livres et ses cahiers, tire sur le blouson de son survêtement. Le pantalon déformé luit aux genoux et aux fesses...Il pleut. Jane doit tout à l'heure s'habiller pour le repas, enfiler une jupe et un chemisier propre, ou aller au lit sans dîner. Elle est lasse. Elle entre dans la chambre, s'étend sur le tapis d'exercices qui sert de descente de lit. Elle a le crâne lourd, déteste le samedi soir, voudrait dormir jusqu'au lundi matin où reviendraient, enfin obligatoires, des occupations absorbantes, codifiées.

Annie Saumont, *Ce soir j'ai peur*, Éditions Julliard, 2015.

24 LECTURE / CULTURE

Je lis les titres des œuvres littéraires et je retrouve le nom de l'écrivain français.

1 *Les précieuses ridicules* → ....

2 *Le mariage de Figaro* → ....

3 *Cyrano de Bergerac* → ....

4 *Art* → ....

5 *Le blé en herbe* → ....

a Colette (1873-1954)

b Beaumarchais (1743-1799)

c Yasmina Reza (1959-)

d Edmond Rostand (1868-1918)

e Molière (1622-1673)

les sons [f] et [v]

A. Je découvre

La Tour Eiffel, tour de fer de 324 mètres de hauteur construite par Gustave Eiffel pour l'exposition universelle de 1889, à Paris, est devenue le symbole de la France.

Depuis son ouverture au public, plus de 300 millions de visiteurs sont venus. Les plus grands photographes l'ont photographiée.

Vous pouvez manger aux différents buffets dans les étages ou vous rendre au restaurant gastronomique Jules Verne des chefs étoilés Frédéric Anton et Thierry Marx. La vue de Paris est à couper le souffle.

1 GRAPHIES

J'écoute et je lis le texte. Je souligne les [f] et [v] entendus.
Quelles sont les graphies de [f] et de [v] ? ....

La lettre « **w** » est aussi une graphie de **[v]** pour les mots d'origine étrangère comme : « un wagon » et « interviewer ».

2 ÉCRITURE

a J'observe et j'écris les lettres « f » et « v ».

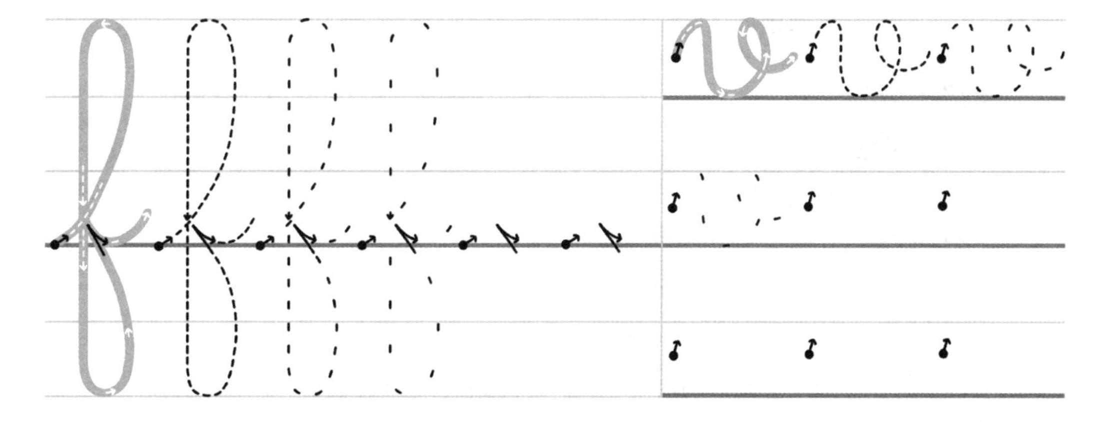

b J'écris les phrases. J'ajoute les majuscules si nécessaire et la ponctuation.

1 françoise montre à son fiancé philippe des photos des falaises de fécamp et de son ancien phare

....

....

2 valérie emmène son ami victor visiter un musée de vieilles voitures près du château de versailles

....

....

220 **3 DISCRIMINATION** [f] / [v]

J'écoute. Quelle suite j'entends ? J'écris 1 – 2 ou 2 – 1.

	1	2	Ordre
a	*fou*	*vous*	*2 – 1*
b	folle	vole	
c	fin	vin	
d	neuf	neuve	
e	bref	brève	

	1	2	Ordre
f	sauf	sauve	
g	créatif	créative	
h	négatif	négative	
i	naïf	naïve	
j	enfer	envers	

4 DISCRIMINATION

a Je prononce le « f » final ou je ne le prononce pas ? Je classe les mots dans le tableau.

un apéritif – la clef – le chef d'œuvre – le massif – des œufs – un bœuf – un chef – un nerf – neuf – un œuf – actif – le relief – vif – des bœufs – un veuf

Je prononce le « f » final.	Je ne prononce pas le « f » final.
un apéritif	....
....	....
....	....
....	....

b J'écoute pour vérifier.

5 DISCRIMINATION

J'écoute. J'entends [f]ou [v] ? Je complète les phrases.

1 Il *fait* un ...ent ...rais.

2 Tous les en...ants tra...aillent, sau... lui.

3 Il rê...e de ...aire un ...ooting.

4 Une élè...e arri...e ...inalement à bout de ...orces avec son ...ieux ...élo.

5 En fé...rier, pendant les ...acances, ils ...eront un ...oyage en ...inlande.

6 CHOIX DE LA GRAPHIE

a Je complète avec « f », « ff » et « ph ».

Mon *frère* .....ilippe apprend à jouer de la .....lûte depuis neu..... ans avec un pro.....esseur ......lamand. Par......ois, les exercices di.....iciles le .....ont sou.....rir. Il doit .....aire des e.....orts et travailler son sou.....le neu..... heures par jour. Il lit des livres de géogra.....ie pour ré.....léchir à de .....uturs voyages avec ses neu..... amis.

b J'écoute pour vérifier. Il y a un mot où le « f » final se prononce [v] deux fois dans l'enchaînement avec le mot suivant. Lequel ? Avec quels mots ?

....

B. Je crée des liens

7 CHOIX DE LA GRAPHIE

Je complète avec « f », « ff », « ph », « v ».

1 Le *ph*otogra......e o......iciel prépare des a......iches pour le ......esti......al d'A......ignon.

2 L'arbitre ......atigué, à bout de sou......le, si......le la ......in de ce match in......ernal.

3 Les ......autes d'orthogra......e dans les ......rases ......iennent sou......ent de di......icultés ......onétiques.

4 Le continent a......ricain o......re des opportunités d'a......aires ......ormidables.

8 MOTS EN SÉRIE

J'écoute, je complète et je répète les mots commençant par « voyelle + ff ».

1 *office*, ...icier, ...iciel, ...iciellement, ...rir, ...rande, ...enser.

2 *effacer*, ...acement, ...icace, ...icacité, ...et, ...ectivement.

3 *affaire*, ...ection, ...ectueux, ...reux, ...iche, ...icher.

> Tous les mots qui commencent par **[af]** ont deux **ff** sauf : afin de, Afrique et ses composés.

9 MOTS DE LA MÊME FAMILLE

Je trouve au moins deux mots de la même famille.

• Avec « f » :

fatigue → *fatigué(e), infatigable*...........................

1 femme → ....

2 fort → ....

3 siffler → ....

4 souffler → ....

les sons [f] et [v]

• **Avec « v » :**

vie → *vivre, vivable, invivable, vivement*

1 vol → ....

2 vert → ....

3 valeur → ....

10 PRÉFIXE a- = rendre, passer d'un état à un autre → aff B1/B2

Je trouve le verbe à partir du nom.

faim → *affamer* | 2 faible → .... | 4 fou → ....

1 fiche → .... | 3 front → .... | 5 fin → ....

11 PRÉFIXES/SUFFIXES B1/B2

a Je cherche des mots qui commencent par :

1 photo- → *photographe,*

2 philo- → ....

b Je cherche des mots qui se terminent par :

1 -phone → *téléphone,*

2 -phile → ....

3 -phobe → ....

4 -graphe → ....

Les préfixes / suffixes avec « **ph** » sont d'origine grecque.
photo- : en rapport avec la lumière.
philo- / -phile : qui aime beaucoup.
-phobe : qui a peur ou déteste.
-phone : en rapport avec le son.
-graphe : en rapport avec l'écriture.

12 SUFFIXE -if / -ive

a Je transforme la phrase.

1 Il est sportif, actif, un peu émotif et impulsif.

Elle est *sportive,*

2 Elle est vive d'esprit, positive, souvent craintive.

Il est ....

225 **b J'écoute pour vérifier.**

13 CONJUGAISON

Je conjugue les verbes au présent et j'écris seulement les formes avec « v ».
Je note les liaisons (‿).

avoir → *nous‿avons, vous‿avez*

1 pouvoir → .... | 4 écrire → ....

2 aller → .... | 5 suivre → ....

3 servir → .... | 6 vivre → ....

14 HOMOPHONES

Je complète les phrases.

[fɔ̃] (*fond / font*) → *Ils font du ski de fond.*

1 [fil] (file / fil) → Je .... acheter du .... pour coudre mon bouton.

2 [fwa] (foie / fois) → C'est la troisième ....qu'il a une crise de ....

3 [vɑ̃] (vent / vend) → Ce matin, il y a du .... au marché où il .... des fruits.

4 [vy] (vue / vu) → J'ai .... qu'elle avait une bonne ....

5 [vo] (veau / vaut) → Combien .... ce rôti de .... ?

6 [afɛʀ] (affaires / à faire) → Pendant les soldes, il y a de bonnes ....

7 [avwaʀ] (avoir / à voir) → Ici, il y a tout .... , mais il faut ....du temps.

15 MOTS VOISINS

a Je complète les phrases.

1 (*feu / veux*) → Tu *veux* qu'on fasse du *feu* dans la cheminée ?

2 (fou / vous) → .... êtes .... de rouler si vite !

3 (font / vont) → Ils .... à la piscine et .... une heure de natation.

4 (frais / vrai) → C'est .... qu'il fait .... ce matin.

226 **b J'écoute et je répète en distinguant bien les mots voisins.**

C. J'écoute, j'écris, je dis

227 **16 DICTÉE** A1/A2 **J'écoute et j'écris le texte. Puis je vérifie avec la transcription.**

....

....

....

....

228 **17 DICTÉE** B1/B2 **J'écoute et j'écris le texte. Puis je vérifie avec la transcription.**

....

....

....

....

....

....

....

....

2.9 les sons [f] et [v]

18 LECTURE À VOIX HAUTE

Je lis l'extrait du roman d'Albert Cohen et je l'écoute. Je note les pauses (/). Je souligne les [f] et j'entoure les [v]. Puis je le lis à voix haute.

Si je l'engageais à prendre du café sans sucre, elle m'affirmait que le sucre n'engraisse pas. « Mets-en dans l'eau et tu verras qu'il disparaît. » Si une balance de pharmacien dénotait une augmentation de poids, c'était une erreur de la balance ou c'était parce qu'elle avait trop bougé sur la balance ou parce qu'elle avait gardé son chapeau. Pour les plantureux repas, il y avait toujours de bonnes raisons. Un jour, c'était parce qu'elle venait fêter ce jour de merveille. Un autre jour, parce qu'elle se sentait un peu fatiguée et que les beignets au miel fortifient.

Albert Cohen, *Le livre de ma mère*, éditions Gallimard, 1954.

19 LECTURE / CULTURE

J'écoute et je lis à voix haute. Puis je réponds aux questions.

En avril 1879, à Hauterives dans la Drôme, entre Valence et Vienne, Ferdinand Cheval est facteur de campagne. Pendant sa tournée, il ramasse des pierres aux formes bizarres qui réveillent en lui un rêve. Véritable autodidacte, il va consacrer 33 ans de sa vie à construire seul, dans son jardin, avec sa fidèle brouette, un palais de rêve inhabitable, peuplé de fées et d'animaux fantastiques. Il inscrit sur son palais de rêve achevé en 1912 «travail d'un seul homme». Cette œuvre d'art naïf unique au monde a inspiré beaucoup les surréalistes et a été classée en 1969 Monument Historique par André Malraux, Ministre de la Culture. On vient le visiter du monde entier.

1 Près de quelles villes se trouve Hauterives ?
2 Quelle était la profession de Ferdinand Cheval ?
3 Que construit-il avec les pierres ?
4 Que représentent ses sculptures ?
5 Comment s'appelle cet art ?

les sons [s] et [z]

A. Je découvre

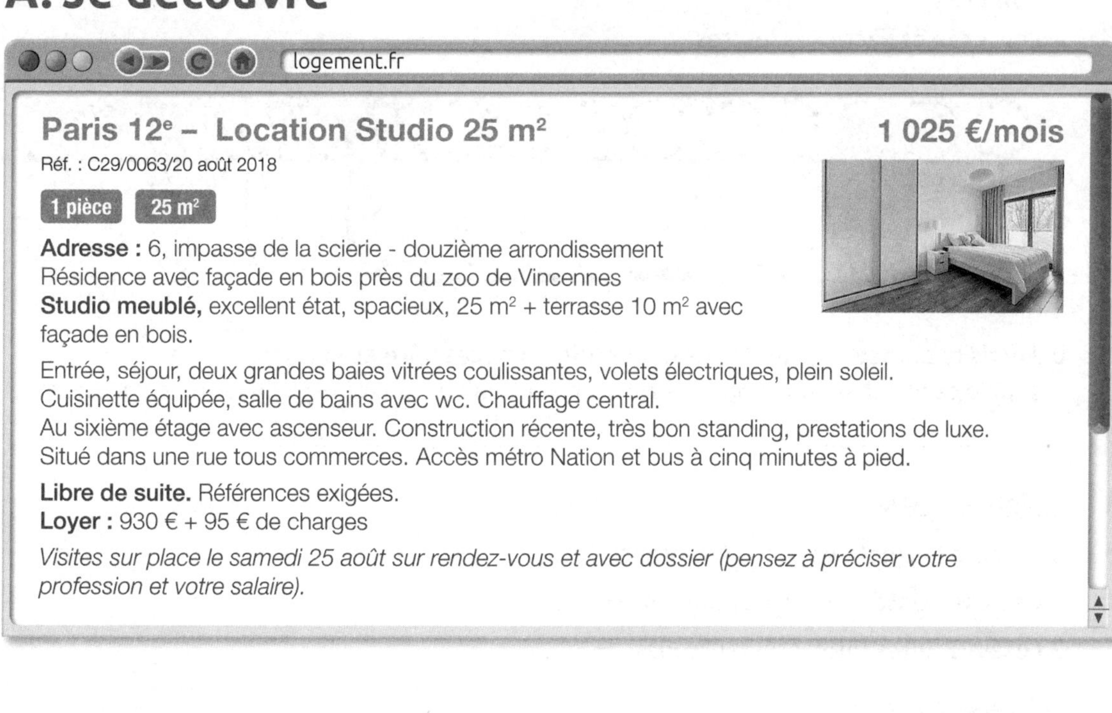

logement.fr

Paris 12e – Location Studio 25 m² **1 025 €/mois**

Réf. : C29/0063/20 août 2018

1 pièce 25 m²

Adresse : 6, impasse de la scierie - douzième arrondissement
Résidence avec façade en bois près du zoo de Vincennes
Studio meublé, excellent état, spacieux, 25 m² + terrasse 10 m² avec façade en bois.

Entrée, séjour, deux grandes baies vitrées coulissantes, volets électriques, plein soleil.
Cuisinette équipée, salle de bains avec wc. Chauffage central.
Au sixième étage avec ascenseur. Construction récente, très bon standing, prestations de luxe.
Situé dans une rue tous commerces. Accès métro Nation et bus à cinq minutes à pied.

Libre de suite. Références exigées.
Loyer : 930 € + 95 € de charges

Visites sur place le samedi 25 août sur rendez-vous et avec dossier (pensez à préciser votre profession et votre salaire).

231 **1** **GRAPHIES**

a J'écoute et je lis le texte. Quelles sont les graphies de [s] ? ....

b Dans quels mots la lettre « s » ne se prononce pas [s] ? Comment se prononce-t-elle ?

....

« *vous avez* », « *dans une rue* » : « **s** » se prononce **[z]**. Il y a **une liaison** devant une voyelle avec les pronoms personnels *(vous)* et certaines prépositions *(dans)*.

c Je coche la bonne réponse et j'écris un exemple pris dans le texte :

Règle de prononciation de la lettre « s »
1 « **s** » entre deux voyelles se prononce ❑ **[s]** ❑ **[z]** ....
2 « **ss** » entre deux voyelles se prononce ❑ **[s]** ❑ **[z]** ....
3 « **s** » entre une voyelle et une consonne ou entre une consonne et une voyelle se prononce ❑ **[s]** ❑ **[z]** ....

d Quelles autres lettres se prononcent [z] ? Je note les mots.

....

e Dans quels mots la lettre « s » ne se prononce pas ?

....

f Dans deux mots, la lettre « z » ne se prononce pas [z] ? Lesquels ?

➥ voir [e]

....

2.10

les sons [s] et [z]

2 ÉCRITURE

a J'observe et j'écris les lettres.

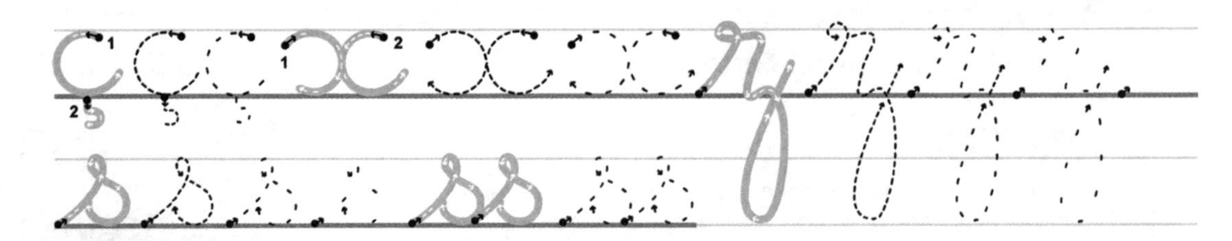

b J'écris la phrase et j'ajoute les majuscules si nécessaire et la ponctuation.
sophie cécile et samuel sont allés visiter saint gall en suisse près du lac de constance

....

3 MISE EN MOTS

Je sépare les mots et j'écris la phrase.

1 Cesrussesontdesvoisinsespagnols. → ....

2 Lesassistantssontintéressantsaussi. → ....

4 DISCRIMINATION

a J'écoute les deux mots avec [s] et [z].

[s]	[z]
1 ☒ un poisson	❑ un poison
2 ❑ un dessert	❑ un désert
3 ❑ un coussin	❑ un cousin
4 ❑ deux sœurs	❑ deux heures

[s]	[z]
5 ❑ nous savons tout	❑ nous avons tout
6 ❑ ils s'appellent	❑ ils appellent
7 ❑ elles s'aiment bien	❑ elles aiment bien
8 ❑ vous savez l'heure ?	❑ vous avez l'heure ?

233

b J'écoute. Je n'entends qu'un mot. Lequel ? Je coche la bonne réponse (dans 4 a).

234

5 DISCRIMINATION

➡ voir [ʃ]

Je trace le chemin avec les mots en [s]. J'écoute pour vérifier.

235 **6** **DISCRIMINATION** [s] – [sk]

a J'écoute. Je souligne quand « sc » se prononce [s] et j'entoure quand « sc » se prononce [sk].

1 *Descendre* par un *escalier* obscur ou prendre l'ascenseur.

2 Regarder un escargot escalader une piscine.

3 Être fasciné par une scène scandaleuse.

4 Être inscrit à un cours de science.

5 Susciter la motivation scolaire chez des adolescents indisciplinés.

b Je complète la règle :

« **sc** » se prononce **[s]** devant les voyelles ……, …… et se prononce **[sk]** devant ……, ……, …… ou devant une ………………………… .

236 **7** **DISCRIMINATION**

a J'écoute. Je souligne « sion » prononcé [sjɔ̃] et j'entoure « sion » prononcé [zjɔ̃].

La vision, la version, une décision, une occasion, une pension, la télévision, la fusion, l'immersion, la dimension, une précision, la diffusion, une pulsion, la compréhension.

b Je complète la règle :

« **sion** » se prononce **[sjɔ̃]** après ………………… et **[zjɔ̃]** après …………………… .

237 **8** **DISCRIMINATION**

J'écoute. Je souligne quand « t » se prononce [s] et j'entoure quand il se prononce [t].

1 Une *question* de *prononciation*

2 Un entretien avec le président égyptien

3 Une amitié essentielle

4 Le soutien de l'état haïtien

238 **9** **DISCRIMINATION**

J'écoute et je classe les mots selon la prononciation de « x » : [ks], [gz], [z] ou [s].

exercice – exception – examen – excellent – exiger – luxe – taxi – dixième – soixante – exemple – deuxième – six – oxygène – extrait – dix – expérience – exhaustif.

[ks]	[gz]	[z]	[s]
…………………………	*exercice*	…………………………	…………………………
…………………………	…………………………	…………………………	…………………………

En début de mot, « **ex** » + **voyelle ou h muet** se prononce **[gz]**.
En fin de mot « **x** » **ne se prononce pas** *(deux, paix)* sauf pour les chiffres **6** et **10**.

B. Je crée des liens

10 CHOIX DE LA GRAPHIE c, ç, s, ss, t

a Je complète les titres de journaux avec les différentes graphies de [s]. Je n'oublie pas les « s » en finale de mots qui ne se prononcent pas.

Le *cinquième* e.....ai nucléaire dan..... le Pa.....ifique est-il vraiment né.....e.....aire ?

1 Fin de la mi.....ion ..... pa.....iale d'ob.....erva.....ion de .....aturne.

2 Po.....ible parti.....ipa.....ion de l'équipe de Fran.....e d'e.....crime aux Jeux Olympiques.

3 Négo.....ia.....ion..... pour la réduc.....ion des émi.....ion..... de gaz.

4 Ru.....ie : Le président a re.....u le mini.....tre fran.....ai..... des finan.....e......

b « s » se prononce [z] dans deux mots : lesquels ? ....

11 CHOIX DE LA GRAPHIE [sjɔ̃] B1/B2

Je complète avec « sion », « ssion » ou « tion ».

1 « *Attention* à votre alimenta.......... ! » La publica.......... de ce livre dans une ver.......... plus simple peut vous aider à prendre des précau.......... et à trouver des solu.......... pour une meilleure compréhen.......... des problèmes et pour choisir les bonnes op.......... pour se nourrir.

2 Ce candidat à *l'élection* présidentielle participe à l'émi.......... avec pa.......... . Il donne une bonne impre.......... pendant la discu.......... . Il fait la promo.......... de son ac.......... pour la na.......... , fait une présenta.......... précise de son programme et de l'évolu.......... économique. La progre.......... des statistiques en sa faveur montre son ascen.......... vers le pouvoir.

12 D'UN MOT à L'AUTRE

Je cherche et j'écris pour chaque situation deux mots avec le son [s] et un mot avec le son [z].

	[s]	[z]
	Dans sa valise, il/elle a mis : *des chaussures,*	....
	Dans sa trousse de toilette, il/elle a mis :	....

13 D'UN MOT à L'AUTRE

J'ajoute « s » ou « ss » et je trouve un nouveau mot avec [s] ou [z].

La roue → *rousse* 1 la rue → la .... / la langue ....

2 la montre → le .... 3 le bain → le .... 4 la moue → la ....

14 D'UN MOT à L'AUTRE

a Je trouve trois mots avec [s].

le tapis → *un tapissier, tapisser, une tapisserie*

1 le pas → ....

2 le commerce → ....

b Je trouve trois mots avec [s] ou [z].

faux → *fausse, faussement, un(e) faussaire*

1 doux → ....

2 roux → ....

3 creux → ....

4 paix → ....

A-Z

15 SUFFIXE [sjɔ̃] B1/B2

a Je trouve le mot avec le suffixe « ation » [asjɔ̃] à partir du verbe. J'ajoute l'article.

apprécier → *une appréciation* 1 négocier → .... 2 communiquer → .... 3 opérer → .... 4 admirer → .... 5 observer → .... 6 informer → ....

b Je trouve le mot avec le suffixe «-ition » [isjɔ̃] ou «-ution » [ysjɔ̃]. J'ajoute l'article.

répéter → *la répétition* 1 définir → .... 2 exposer → .... 3 constituer → .... 4 évoluer → ....

c Je trouve le nom avec le suffixe « -ssion » [sjɔ̃] à partir du verbe. J'ajoute l'article.

Succéder, succès → *la succession* 1 accéder, accès → .... 2 progresser, progrès → .... 3 posséder → .... 4 permettre (permis) → .... 5 admettre (admis) → ....

Quelques mots sont terminés par « -sion » après une consonne : *une dimension, une ascension, une compréhension, une pension, une version, une excursion, une expulsion*

d Je trouve le nom avec le suffixe « -ction » [ksjɔ̃] à partir du verbe. J'ajoute l'article.

réagir → *la (ré)action* 1 distraire → .... 2 élire → ....
3 corriger → .... 4 rédiger → .... 5 produire → ....

Quelques mots terminés par « -xion » : *annexer* → *l'annexion – réfléchir* → *la réflexion – connecter* → *la connexion.*

A-Z

16 SUFFIXE -tie [si] B1/B2

a Je retrouve le nom à partir du mot souligné.

L'acrobate fait des acrobaties. 1 L'idiot(e) dit des .... 2 Le démocrate croit en la .... 3 Le diplomate négocie avec ....
4 L'ébéniste minutieux travaille avec ....

b -tie = [ti] Je retrouve quatre mots à partir du verbe.

partir (sens vieilli de partage) → *la partie* 1 garantir → la ....
2 sortir → la .... 3 amnistier → l'................................ .

17 SUFFIXE -sion

Je complète le mot avec le suffixe « -sion » [zjɔ̃] et je trouve le verbe.

vision → *voir* 1 l'adhé......... → .... 2 la conclu......... → ....
3 la déci......... → .... 4 l'explo......... → .... 5 la divi......... →
.... 6 la diffu......... → .... 7 la révi......... → ....

18 GRAMMAIRE

Je mets le texte au pluriel.

À l'hôtel « l'oiseau du soir »

Le serveur sert le dessert sous le parasol blanc. Un client arrive avec sa fille et son fils.
Il commande une salade composée et un fromage frais.

Les serveurs servent les desserts sous les parasols blancs. ....

....

....

19 GRAMMAIRE tous = [tu] ou [tus]

a Je souligne la lettre « s » du mot « tous » quand elle est prononcée.

Tous les participants sont arrivés, ils sont *tous* là. Tous parlent très bien le français mais ne prononcent pas tous les sons du français qui ne sont pas faciles. Tous les exercices de phonétique vont les aider et ils prononceront bientôt tous mieux.

239 **b J'écoute pour vérifier.**

c Je coche les bonnes réponses :

Le « **s** » final de « **tous** » se prononce : c'est ☐ un pronom ☐ un adjectif (devant un nom).
Le « **s** » final de « **tous** » ne se prononce pas : c'est ☐ un pronom ☐ un adjectif.

20 CONJUGAISON

Je conjugue les verbes avec « tu » au présent, au passé composé, à l'imparfait et au futur.

danser → *tu danses, tu as dansé, tu dansais, tu danseras*

1 commencer → ....

2 se soucier → ....

3 remercier → ....

Le « **s** » de la 2e personne du singulier (tu) ne se prononce pas.

21 CONJUGAISON

a Je conjugue le verbe au présent et à l'imparfait (je, nous).

• **Verbes à deux bases : + [s]**

	Présent	Imparfait
1 *grandir* →	*je grandis, nous grandissons*	*je grandissais, nous grandissions*
2 finir →	....	....
3 choisir →	....	....
4 connaître →	....	....

• **Verbes à deux bases : + [z]**

	Présent	Imparfait
1 *lire* →	*je lis, nous lisons*	*je lisais, nous lisions*
2 dire →	....	....
3 faire →	....	....
4 conduire→	....	....

b J'écoute pour vérifier.

22 ACCENTS ET AUTRES SIGNES c/ç

a Je conjugue le verbe au présent, au passé composé et à l'imparfait.

recevoir → *Il me reçoit. Il m'a reçu aussi hier. Il ne me recevait jamais avant.*

1 apercevoir → J'.............................. le bateau au loin. Je l'.............................. alors que je ne l'.............................. jamais.

2 décevoir → Tu me .... Tu m'.............................. terriblement. Avant tu ne me .... jamais.

b Je complète la règle :

J'ajoute une cédille à « **c** » devant les voyelles « .... », « .... », « .... » pour prononcer **[s]**.

23 CONSONNES FINALES

J'écoute. Je souligne le « s » final quand il est prononcé.

1 *un atlas*, un matelas, un repas, un pas
2 un fils, un tapis, le tennis, une souris
3 le repos, le dos, un os, les os, un propos
4 un accès, le palmarès, un succès, un procès
5 dessus, un cactus, un bus, le campus

24 HOMOPHONES

Je complète avec : ce, se, s', c'est, s'est, ses, ces.

Hier soir, il *s'est* couché tard et .... matin, il .... lève en retard, huit heures déjà ! Il .... lave, ... habille à toute vitesse et met .... chaussures. Il ....inquiète. Il doit rencontrer M. Rossi. .... son nouveau directeur. .... derniers jours, il n'était pas toujours à l'heure et il va peut-être .... faire licencier.

A-Z

242

25 MOTS VOISINS

Je complète les phrases. Puis, j'écoute pour vérifier et je répète.

1 (basse / base) → On rentre à la .... dit-il à voix ....

2 (magasin / magazine) → Ce .... de journaux vend des .... spécialisés.

3 (sens / sans) → .... verbe, cette phrase n'a pas de ....

4 (discutions / discussions) → Nous .... beaucoup avec nos parents, nous avions de grandes .... !

C. J'écoute, j'écris, je dis

243

26 DICTÉE A1/A2 J'écoute le message et je l'écris. Puis je vérifie avec la transcription.

....

....

....

....

244

27 DICTÉE B1/B2 J'écoute le message et je l'écris. Puis je vérifie avec la transcription.

....

....

....

....

....

....

245

28 LECTURE À VOIX HAUTE B1/B2

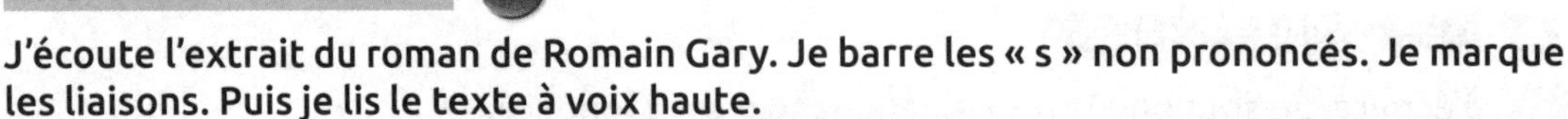

J'écoute l'extrait du roman de Romain Gary. Je barre les « s » non prononcés. Je marque les liaisons. Puis je lis le texte à voix haute.

« Rien, dans son aspect un peu las, dans ses manières de parfait homme du monde, ne laissait deviner le petit garçon en culottes courtes qu'il cachait en lui, enfoui sous les sables du temps ; il en est souvent des apparences de maturité comme des autres façons de s'habiller, et l'âge, à cet égard, est le plus adroit des tailleurs. Mais je venais d'avoir 17 ans et je ne savais encore rien de moi-même ; j'étais donc loin de soupçonner qu'il arrive aux hommes de traverser la vie, d'occuper des postes importants et de mourir sans jamais parvenir à se débarrasser de l'enfant tapi dans l'ombre, assoiffé d'attention, attendant jusqu'à la dernière ride une main douce qui caresserait sa tête et une voix qui murmurerait : « Oui, mon chéri, oui. Maman t'aime toujours comme personne d'autre n'a jamais su t'aimer. »

Romain Gary, *La Promesse de l'Aube*, éditions Gallimard, 1960.

le son [ʃ]

A. J'observe

Le magazine du cinéma

Comédie dramatique

Chacun cherche son chat

Film réalisé par Cédric Klapisch (1996)

On aime beaucoup

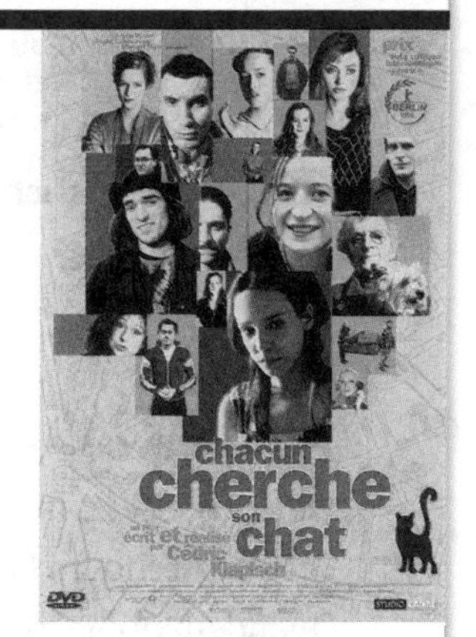

Histoire

Dans la douce chaleur du printemps, Chloé rentre de vacances et découvre que son chat a disparu. La voisine, Mme Renée, et ses amies recherchent l'animal dans ce quartier parisien du 11ᵉ. Michel le colocataire colle des affiches. Mais Chouchou le chat reste caché...

Critique

Klapisch réalise ici la chronique magnifique d'un quartier parisien, avec une galerie de portraits attachants et réalistes. Le film ressemble à une comédie musicale rythmée.

246 **1** GRAPHIES

a J'écoute et je souligne les mots où j'entends [ʃ].

b Quelles sont les graphies de [ʃ] ? ....

c Dans quels mots la suite « ch » ne se prononce pas [ʃ] ? : ....

d Je lis le texte à voix haute en même temps que le locuteur.

« **(s)ch** » en fin de mot apparaît dans les noms de famille *(Klapisch)* et des mots d'origine étrangère (haschich). Il se prononce toujours sauf dans « *almanach* » **[almana]** (cf exercice 14)

2 ÉCRITURE

a J'observe et j'écris les lettres « ch ».

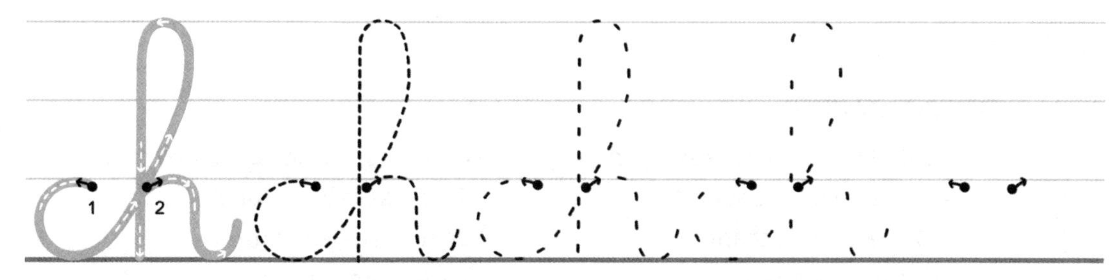

b J'écris la phrase et j'ajoute les majuscules si nécessaire et la ponctuation.

charles charlotte et christian chantent dans la chorale de la chapelle du château de chambéry

....

....

le son [ʃ]

3 MISE EN MOTS

Je sépare les mots et j'écris la phrase.

Lesarchitectesfontunschémadelaconstruction.

Les architectes ....

Ilséchangentleursfichestechniquespourchoisirlesmatériauxàacheterpourlechantier.

....

....

247 4 MOTS INVARIABLES les onomatopée

a J'écoute et j'écris chaque onomatopée à côté de sa définition.

Splash ! Atchoum ! Chouette !! Tchin tchin !! Chut !!! Pschitt !!!

Quand un objet tombe dans l'eau : *Splash* !

1 Quand on demande le silence : ....

2 Quand on trinque : ....

3 Quand on éternue : ....

4 Quand le bouchon d'une bouteille de champagne saute : ....

5 Quand on est content : ....

SPLASH

b Je répète les onomatopées.

248 5 DISCRIMINATION

➡ voir [ʒ]

a J'écoute et je coche le mot avec [ʃ] ou [ʒ] que j'entends deux fois.

	[ʃ]	[ʒ]
1 cache - cage	✗	
2 manche - mange		
3 hanche - ange		
4 haché - âgé		
5 boucher - bouger		

	[ʃ]	[ʒ]
6 cachot - cageot		
7 chou - joue		
8 chêne - gêne		
9 chute - jute		

b J'écoute à nouveau et je répète.

249 6 DISCRIMINATION

➡ voir [s]

a J'écoute les deux phrases. Je distingue bien [ʃ] et [s] par le son et par la graphie.

1 ☒ Tu as caché le ballon ? ❑ Tu as cassé le ballon ?
2 ❑ Je déteste le chant. ❑ Je déteste le sang.
3 ❑ Il a encore touché ? ❑ Il a encore toussé ?
4 ❑ On n'a plus de chou. ❑ On n'a plus de sous.
5 ❑ C'est chez eux. ❑ C'est ses œufs.
6 ❑ Vous avez vu mes fiches ? ❑ Vous avez vu mes fils ?

250 **b J'écoute. Je n'entends qu'une phrase. Laquelle ? Je coche (dans 6 a).**

7 DISCRIMINATION

a Les métiers. Je vois « ch » et je prononce [ʃ] ou [k]. Je classe les mots dans le tableau.

une architecte – un chimiste – un technicien – un chercheur – une chanteuse – un chauffeur – un chorégraphe – une archéologue – une chirurgienne – un charpentier – une psychologue

[ʃ]	[k]
une architecte, ...	....
....	....

251 **b J'écoute pour vérifier.**

B. Je crée des liens

8 MOTS DE LA MÊME FAMILLE

Je trouve au moins 3 mots de la même famille.

1 un chant → *un chanteur,* ....

2 un marché → ....

9 MOTS DE LA MÊME FAMILLE la lettre « c » devant « a » → ch

B1/B2

➡ voir [k]

J'associe un mot qui commence par « ca » avec un mot qui commence par « ch » de la liste.

1 la calorie	a *le chien*
2 le campus	b le chapeau
3 le cavalier	c la chaleur
4 la cantatrice	d le champ
5 la capuche	e la chair
6 carnivore	f chauve
7 la calvitie	g le chant
8 capillaire	h le cheval
9 *canin*	i les cheveux

Les mots latins commençant par « **ca** » ont évolué phonétiquement en **[ʃ]** : *canis* → *chien (la race canine), capillus* → *cheveu (un soin capillaire)*

252

10 MOTS EN SÉRIE

J'écoute, je répète et je complète.

1 il *lèche*	2 une b*ouche*	3 une cap*uche*	4 une c*ache*
une m................	une c................	une perr...........	il l...........
une p................	une d................	une autr...........	une t...........
s................	une m................	une pel...........	une v...........

le son [ʃ]

11 GRAMMAIRE

Je mets au féminin.

un fromage sec → une tomme *sèche* – un vin blanc → une bière ....

un regard franc – une opinion .... – un produit frais → une boisson ....

12 MOTS FAMILIERS -oche B1/B2

Je trouve le mot standard à l'origine du mot.

facile → *fastoche*

1 .... → sympatoche
2 .... → la téloche
3 .... → le cinoche
4 .... → la cantoche
5 .... → la valoche
6 .... → la péloche

Certains mots familiers avec le suffixe « **-oche** » sont formés sur un synonyme familier : *la bidoche (le bide = le ventre → la viande), un mioche (un môme → un enfant).*

13 HOMOPHONES B1/B2

Je complète les phrases.

[ʃɑ̃] (mes chants / méchant) → *Tu es méchant de ne pas écouter mes chants.*
1 [ʃɛʀ] (chère / chair) → Cette vache très en .... est ....
2 [ʃyt] (chut / chute) → .... ! Ne lui parlez pas de ma ....
3 [ɑ̃ʃɛn] (enchaîne / en chêne) → Il .... le chien à la porte ....

14 MOTS VOISINS

a Je complète.

1 *(chant / Jean)* → *Jean adore le chant.*
2 (chou / joue) → ....-moi un petit air mon ....
3 (cache / cage) → .... le trésor dans la ....
4 (bouche / bouge) → Quand il est ému sa ....
5 (chère / gère) → C'est moi qui .... cette affaire, ma .... amie.

b J'écoute et je répète.

15 MOTS D'ORIGINE ÉTRANGÈRE B1/B2

a J'associe le mot à sa définition.

1 *chronologique* — d
2 chaotique
3 psychologue
4 archéologue
5 choriste

a qui étudie les civilisations disparues
b qui est dans un désordre total
c qui chante dans un groupe
d *qui a rapport au temps*
e qui étudie les comportements et les sentiments éprouvés

b Je coche la bonne réponse :

Dans tous ces mots d'origine grecque, les lettres « **ch** » se prononcent ❑ **[k]** ou ❑ **[ʃ]** ?

C. J'écoute, j'écris, je dis

254 **16** **DICTÉE** A1/A2 **J'écoute et j'écris le texte. Puis je vérifie avec la transcription.**

....

....

....

....

....

255 **17** **DICTÉE** B1/B2 **J'écoute et j'écris le texte. Puis je vérifie avec la transcription.**

....

....

....

....

....

....

....

....

....

256 **18** **LECTURE À VOIX HAUTE**

J'écoute le poème de Boris Vian. Je note pour chaque vers les deux groupes de souffle. Puis je lis à voix haute en même temps que le locuteur.

Chérie, viens près de moi
Ce soir, je veux chanter
Une chanson pour toi
Une chanson sans larmes

Une chanson légère
Une chanson de charme
Le charme des matins
Le charme des étangs

Le charme des prairies
Que l'on fauche en été
Pour pouvoir s'y rouler

CHANSON DE CHARME, Paroles de Boris Vian, musique de Mouloudji/Albert Assayag, 1971, Éditions MAJESTIC JACQUES CANETTI

19 LECTURE À VOIX HAUTE B1/B2

(257)

J'écoute cet extrait du roman d' Éric-Emmanuel Schmitt. Je note les liaisons et les enchaînements. Je barre les consonnes qui ne se prononcent pas. Puis je lis à voix haute.

Monsieur Ibrahim avait toujours été vieux [...] On avait toujours vu monsieur Ibrahim dans son épicerie, de huit heures du matin au milieu de la nuit [...] une blouse grise sur une chemise blanche, des dents en ivoire sous une moustache sèche, et des yeux en pistache, verts et marron, plus clairs que sa peau brune tachée par la sagesse [...]. Il semblait échapper à l'agitation ordinaire des mortels, [...] ne bougeant jamais, telle une branche greffée sur son tabouret...

Éric-Emmanuel Schmitt, *Monsieur Ibrahim et les Fleurs du Coran*, Édition Albin Michel, 2001.

20 LECTURE / CULTURE

(258)

a J'écoute et je lis les résumés de trois contes. J'associe chaque conte à un titre et je l'écris.

a Le petit chaperon rouge

b Blanche neige et les sept nains

c Le chat botté

1 C'est l'histoire d'une charmante petite fille habillée avec un capuchon rouge qui va voir sa grand-mère malade. Un méchant loup veut les manger. Elles sont sauvées par un gentil chasseur qui tue le loup.

....

2 C'est l'histoire d'une très jolie jeune fille qui est chassée du château de son père. Elle vit alors dans la forêt dans une chaumière avec sept nains. Elle est empoisonnée par sa méchante belle-mère, jalouse de sa beauté. Elle est réveillée grâce au baiser d'un prince charmant venu la chercher avec son cheval.

....

3 C'est l'histoire d'un chat avec un grand chapeau qui est chargé d'apporter la richesse à son maître.

....

b Puis je lis les résumés à voix haute.

le son [ʒ]

A. J'observe

Paris 2024 : les Jeux Olympiques, c'est déjà demain

100 ans après les derniers jeux à Paris, la ville a reçu avec joie sa nomination pour accueillir les Jeux Olympiques et Paralympiques en 2024. C'est un projet gigantesque et magnifique qui va laisser un héritage fort pour la population.
Paris, ville des Lumières, est aussi la ville du sport. La municipalité s'engage à gérer un budget minimum. Elle va aménager le village olympique pour les athlètes et construire quelques gymnases. Les aménagements sportifs vont encourager la pratique sportive. Les JO à Paris, c'est aussi un projet écologique qui protègera l'environnement.

Partageons dès aujourd'hui ce grand moment qui entrera dans la légende !

1 GRAPHIES

a J'écoute et je lis le texte. Quelles sont les graphies de [ʒ] ? ....

b Quels sont les mots où la lettre « g » ne se prononce pas [ʒ] ?
Comment se prononce-t-elle ? .... ➥ voir [g] et [ɲ]

c À partir des mots du texte et de la phrase « Georges mangeait un pigeon », je complète la règle.

> La lettre « **g** » se prononce **[ʒ]** devant les voyelles « ...... », « ...... » et « ...... ».
> Pour conserver le son **[ʒ]** devant les voyelles « ...... », « ...... » et « **u** », on ajoute « **e** ».

d Je lis le texte à voix haute en même temps que le locuteur.

2 ÉCRITURE

a J'observe et j'écris les lettres « j » et « ge ».

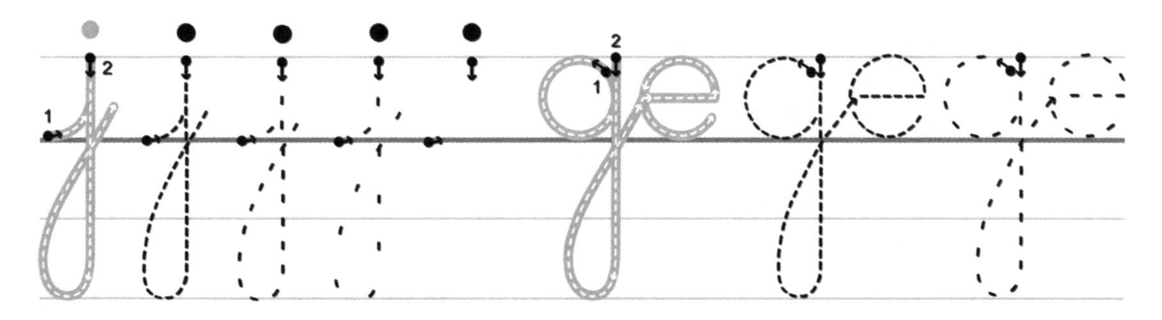

Dans l'alphabet, la lettre « **j** » se dit **[ʒi]** et la lettre « **g** » se dit **[ʒe]** .
Les JO **[ʒio]** – *la CGT* **[seʒete]** (un syndicat)

b J'écris la phrase. J'ajoute les majuscules si nécessaire et la ponctuation.
jeudi jules et georges ont visité le zoo de juan les pins jules a adoré la girafe et georges a préféré les singes

....

....

3 MISE EN MOTS

Je sépare les mots et j'écris la phrase. J'ajoute une majuscule et la ponctuation.

1 àcetétagenousavonsaménagéunejolieterrassepourvoirlepaysage

....

2 jeannejoueplusjamaisdelaguitareavecsonfrèrejumeau

....

4 MOTS INVARIABLES B1/B2

Je complète la phrase avec les mots invariables : *toujours*, jamais, déjà, jadis, jusqu'à.

Je t'ai *toujours* dit, comme mes parents .... me l'ont dit : « Tu ne sortiras .... après minuit .... tes 16 ans. Tu as .... de la chance de pouvoir sortir le soir avec tes copains ! »

5 DISCRIMINATION

➡ voir [g]

a Les mots ont deux lettres « g » : comment se prononcent-elles ? [g] ou [ʒ] ?
Je complète le tableau.
le garage – la gorge – gigantesque – Georges – zigzaguer – le graissage – le gong – le gangster – le gaspillage – le gingembre – le gigot – la généalogie – la géographie

[g] [g]	[g] [ʒ]	[ʒ] g]	[ʒ] [ʒ]
zigzaguer, ...	....	....	....
....	....	....	....
....	....	....	....

b J'écoute pour vérifier.

B. Je crée des liens

6 CHOIX DE LA GRAPHIE

a « j », « g » ou « ge » ? Je choisis et je complète.

1 Portrait de famille :

Elle est *j*olie, intelli......ente et ......entille.

Sa sœur est très .....alouse, exi.....ante et d'humeur chan.....ante.

Leur frère a un .....oli visa.....e, les épaules lar.....es et quelques défauts négli.....ables.
Leur mère est .....oyeuse, coura.....euse, ...énéreuse et un peu .....oueuse.
Elle adore .....ardiner, faire le ména.....e, ...érer les comptes,
et surtout partir en voya.....e.

2 ***Déjeuner* vé.....étarien :** oran.....ade ou .....us d'oran.....e,
thé au .....asmin, beignets de cour.....ettes et d'auber.....ines,
ta.....ine de cour.....es, ...ardinière de légumes, froma.....es
de la ré.....ion, glace au .....in.....embre.

Restaurant
LE GARAGE
jardin & terrasse
04 76 55 79 84
St-Etienne-de-Crossey - Centre du village

b Je souligne les mots où la lettre « g » ne se prononce pas [ʒ].

➡ voir [ʃ], [m], [n], [ɲ]

A-Z **7** **D'UN MOT À L'AUTRE** B1/B2

J'utilise les lettres du mot souligné et je trouve un autre mot avec le son [ʒ].

La gare est fermée à cause de la grève. Je suis en *rage*.

1 Cette .... est incroyable, c'est de la magie !

2 J'ai découvert la goyave pendant un .... au Brésil.

3 Ce .... est agressif, c'est mauvais signe.

4 Sur ce schéma du corps, coloriez l'organe qui sert à la digestion en ....

5 Solange dessine un ....

A-Z **8** **MOTS DE LA MÊME FAMILLE**

Je trouve des mots de la même famille et je les écris.

1 plonger, *un plongeon*, ...

2 rouge, ...

3 la neige, ...

4 juger, ...

5 juste, ...

6 le jour, ...

A-Z **9** **PRÉFIXE** géo- B1/B2

Je trouve le mot d'après la définition.

Science de la terre : la géographie

1 Étude chimique de la terre : ....

2 Étude des rapports entre la géographie des États et leur politique : ....

3 Étude mathématique de l'espace : ....

4 Science qui décrit les matériaux qui constituent la terre : ....

5 Chaleur interne de la terre : ....

Le préfixe grec « **géo** » signifie « la terre ».

2.12 le son [ʒ]

10 SUFFIXE -age

a Je transforme le verbe en nom et je le classe dans le tableau.

À la maison, j'aime, je supporte ou je déteste : *repasser*, balayer, nettoyer, laver, bricoler, jardiner, arroser, gaspiller, recycler, raccommoder.

J'aime	Je supporte	Je déteste
....	....	*Le repassage,* ....
....	....	....
....	....	....
....	....	....

b Je coche la bonne réponse :

Les mots terminés par le suffixe « **age** » sont : ❑ masculins ❑ féminins.

11 SUFFIXE -logie B1/B2

a J'associe chaque science avec sa définition.

1 *Généalogie* → e
2 Météorologie
3 Archéologie
4 Cancérologie
5 Biologie
6 Climatologie
7 Criminologie
8 Écologie

a Science qui décrit les climats
b Science de la vie
c Science qui étudie les êtres vivants dans leur environnement naturel
d Science qui étudie les crimes
e *Science de la recherche des origines familiales*
f Étude des phénomènes météo pour prévoir le temps
g Étude des tumeurs cancéreuses
h Science qui étudie l'homme depuis la préhistoire

b Je coche la bonne réponse :

Le suffixe « **-logie** » vient du grec et signifie « **science** ». Les mots terminés par « **-logie** » sont : ❑ masculins ❑ féminins.

12 CONJUGAISON g → ge [ʒ]

Je conjugue le verbe avec « je » et « nous » du présent et de l'imparfait.

	Présent	**Imparfait**
manger :	*je mange → nous mangeons*	*je mangeais → nous mangions*
1 ranger :	....	....
2 bouger :	....	....
3 voyager :	....	....
4 partager :	....	....

5 déménager : ....

6 interroger : ....

7 diriger : ....

8 échanger : ....

13 HOMOPHONES B1/B2

Je complète les phrases.

1 [ʒɑ̃] (j'en / gens) → .... ai assez de voir tous ces ....

2 [ʒɛʀ] (gère / j'erre) → .... dans cette ville que la mairie .... si mal !

3 [ʒu] (jouent / joues) → Ces enfants ont les .... rouges lorsqu'ils ....

4 [ʒɛ] (jet / j'ai) → .... vu le .... d'eau de Genève.

5 [ʒœte] (jetée / jeté) → L'assassin a .... l'arme du crime au bout de la ....

14 MOTS VOISINS B1/B2

→ voir [g]

a Je complète les phrases.

1 (jamais / Gamay) → Ce *Gamay* est excellent ! Ce vin n'a *jamais* été aussi bon !

2 (joue / goût) → Cette valse de Chopin que je .... au piano m'a appris le .... de l'effort.

3 (gère / guerre) → Après la ...., le pays .... difficilement sa reconstruction.

4 (gants / gens) → L'hiver, les .... mettent des ....

5 (Georges / gorge) → .... a mal à la ....

261 **b J'écoute et je répète en distinguant bien les mots voisins.**

C. J'écoute, j'écris, je dis

262 **15 DICTÉE A1/A2 J'écoute et j'écris le texte. Puis je vérifie avec la transcription.**

....

....

....

....

263 **16 DICTÉE B1/B2 J'écoute et j'écris le texte. Puis je vérifie avec la transcription.**

....

....

....

....

....

....

le son [ʒ]

17 LECTURE À VOIX HAUTE

Je lis l'extrait du roman de Sempé et Goscinny et je l'écoute. Je note les pauses (/) et je barre les « e » qui ne sont pas prononcés. Puis je lis le texte à voix haute.

LA SIESTE

Ce que je n'aime pas à la colonie de vacances, c'est que tous les jours, après le déjeuner, on est de sieste. Et la sieste, elle est obligatoire [...]. Et c'est pas juste, quoi, à la fin, parce qu'après le matin, où nous nous sommes levés, nous avons fait la gymnastique, notre toilette, nos lits, pris le petit déjeuner, être allés à la plage, nous être baignés et avoir joué sur le sable, il n'y a vraiment pas de raison pour que nous soyons fatigués et que nous allions nous coucher.

Sempé et Gosciny. *Les vacances du petit Nicolas*. Éditions Gallimard (1987).

18 LECTURE À VOIX HAUTE

J'écoute l'extrait du roman de Françoise Sagan et je le lis en chuchotant. J'articule très distinctement. Je note les pauses (/), les phrases sont longues.

Les premiers jours furent éblouissants. Nous passions des heures à la plage, écrasés de chaleur, prenant peu à peu une couleur saine et dorée, à l'exception d'Elsa qui rougissait et pelait dans d'affreuses souffrances. Mon père exécutait des mouvements de jambes compliqués pour faire disparaître un début d'estomac incompatible avec ses dispositions de Don Juan. Dès l'aube, j'étais dans l'eau, une eau fraîche et transparente où je m'enfouissais, où je m'épuisais en mouvements désordonnés [...]. Je m'allongeais dans le sable, en prenais une poignée dans ma main, le laissais s'enfuir de mes doigts en un jet jaunâtre et doux, je me disais qu'il s'enfuyait comme le temps, que c'était une idée facile et qu'il était agréable d'avoir des idées faciles. C'était l'été.

Françoise Sagan, *Bonjour tristesse*, Édition Pocket (1991).

19 LECTURE / CULTURE

Les Français adorent jouer. Près de deux tiers des Français déclarent jouer tous les mois à des jeux de cartes (27 %), des jeux de société (22 %) et des jeux de hasard (21 %). C'est le Loto qui est le jeu de hasard préféré des Français.

La langue française accompagne cette passion avec des expressions autour du « jeu ».

Je relie les expressions à leur définition.

1 être pris à son propre jeu
2 c'est un jeu d'enfant
3 faire un jeu de mot
4 se prendre au jeu
5 *jouer le jeu* —— e *respecter les règles fixées par d'autres*

a être très facile
b aimer quelque chose qui n'intéressait pas au départ
c prendre au sérieux ce qu'au départ on faisait en jouant
d jouer avec la sonorité et la signification des mots
e *respecter les règles fixées par d'autres*

les sons [j] / [w] / [ɥ]

2.13

A. Je découvre

Actualités météo

Vendredi trois juillet, huit heures. C'est l'heure de votre bulletin météo. Bonjour à tous ceux qui se réveillent pour aller au travail.
Aujourd'hui, sur la moitié nord, le soleil brille jusqu'au soir et la température moyenne est de 28 degrés. En montagne, ce matin, il y a du brouillard, mais le soleil revient ensuite.
Par contre, sur l'ouest du pays, on attend de la pluie et des vents violents et froids vont balayer la côte toute la journée. Puis, le temps va s'améliorer dans la nuit et les vents seront de moins en moins forts. Il n'y a pas de problème pour les vacanciers. Si vous partez ce week-end, la plage va être ensoleillée. Eh oui ! vous n'allez pas vous ennuyer !

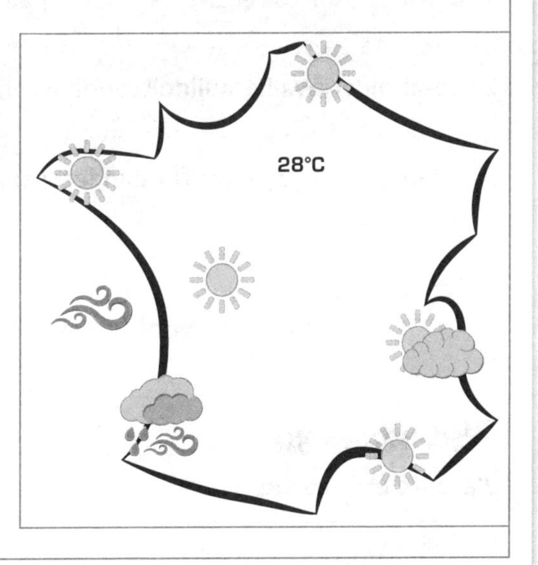

266

1 GRAPHIES

a J'écoute et je lis le texte. J'écris les mots où j'entends :

- [j] : *juillet*, ...
- [wa] : *trois*, ..., [wɛ] : ...., [wɛ̃] ....
- [ɥ] : *actualités*, ...

b Je complète : les graphies de [j] sont :

Les graphies de [wa] sont : .... La graphie de [wɛ̃] est : ....

Les graphies de [wi]/[wɛ] sont : .... La graphie de [ɥ] est : ....

c Je lis le texte à voix haute en même temps que le locuteur.

2 ÉCRITURE

J'observe et j'écris les lettres « ill », « ay », « oi » et « ui ».

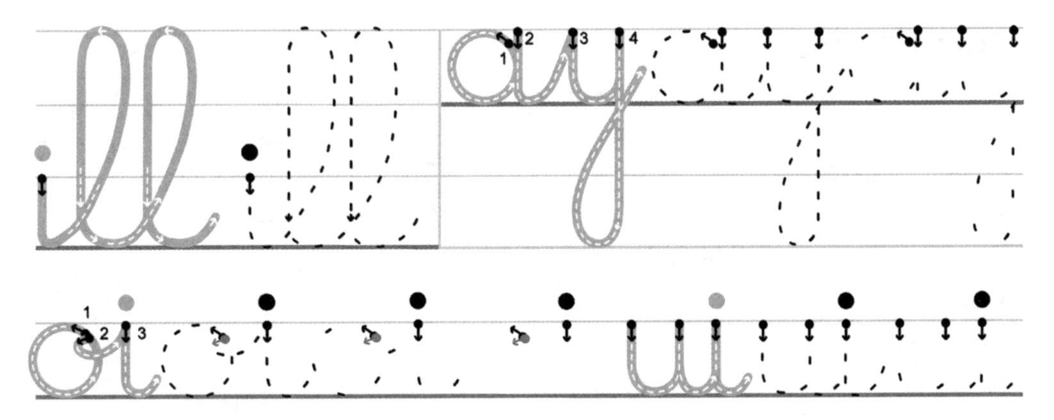

les sons [j] / [w] / [ɥ]

3 MISE EN MOTS

Je sépare les mots et je recopie la phrase.

1 Tuirasencuisinefairecuirelesfruitsdu panier.

....

2 Yvesafinidetravaillerouildoitcontinuerenjuin ?

....

3 Louisafaitunvoyagepourfuirloindesesennuis.

....

> Prononciation de la lettre « **y** » → 3 cas :
> « **y** » = « **i** » : *Yves*, « **y** » = « **i** + **i** » : *pays*, « **y** » = « **i** » + [j] : *payer…*

267 **4 DISCRIMINATION**

J'écoute et je coche.

J'entends :	1	2	3	4	5	6	7
« il a »	✗						
« il y a »							

268 **5 DISCRIMINATION**

a « ll » = [l] ou [j] ? J'écoute et je souligne le mot quand j'entends [j].

gentille – excellent – volaille – s'installer – juillet – vieillir – embellir – oreille.

b J'écoute pour vérifier.

c J'écoute et je souligne l'intrus.

1 bille – vanille – *ville* – fille

2 tranquille – quille – cueille – caille

3 famille – grille – aiguille – mille

4 Marseille – les Antilles – Lille – La Guyane

> « **ill** » = [j] sauf : tranquille, ville, mille, Lille, Gilles, …

270 **6 DISCRIMINATION** [ʒ] ou [j]

a Je lis et j'écoute la différence entre les deux mots.

1 ❑ page ❑ paille

2 ❑ rage ❑ rail

3 ❑ mage ❑ maille

4 ❑ rouge ❑ rouille

5 ❑ bougie ❑ bouillie

6 ❑ piger ❑ piller

271 **b Je n'entends qu'un mot, lequel ? Je l'écris.**

1 *paille*

2 ....

3 ....

4 ....

5 ....

6 ....

B. Je crée des liens

A-Z **7** **CHOIX DE LA GRAPHIE**

a Je complète avec « -yer », « -iller » ou « -ier ».

1 Quand il a vu les yeux rouges *briller* dans le noir, il s'est mis à cr.......... .

2 Il faut emplo.......... quelqu'un pour netto.......... les vitres.

3 Il va trava.......... dur mais son patron va bien le pa.......... .

4 Elle aime se maqu.......... même quand elle va sk.......... .

b Je complète avec « -oir » ou « -oire ».

1 Il faut le *voir* pour le *croire*.

2 Vaut-il mieux sav......... que pouv......... ?

3 Je lui raconte une hist......... le s......... .

4 On ne peut pas prév......... la vict......... .

A-Z **8** **CHOIX DE LA GRAPHIE**

a Je complète avec « -ion » et « -oin ». Je fais attention à l'ordre des lettres.

1 Sur cette route, il y a *moins* de cam............s .

2 Je regarde une émiss............ sur les s............s à l'hôpital.

3 Tu vois ce l............ là-bas au l............ ?

4 Il n'a pas bes............ de lunettes, il a une bonne vis............ .

272 **b J'écoute pour vérifier.**

c Je complète. Je fais attention à l'ordre des lettres.

1 oi / io → Il *boit* du jus d'orange b......... .

2 oi / io → Tu d.........s manger proprement, ne fais pas l'id.........t !

3 ein / ien → Il aime b......... p.........dre des natures mortes.

4 ai / ia → La sécurité de ce mot de passe est f.........ble. Donc il n'est pas f.........ble.

273 **d J'écoute pour vérifier.**

A-Z **9** **D'UN MOT À L'AUTRE**

a Nom ou verbe ? Je choisis la forme qui convient.

1 (réveil / réveille) → *La sonnerie du réveil me réveille tous les matins à 7 heures.*

2 (travail / travaille) → Il .... beaucoup mais il a un .... passionnant.

3 (conseil / conseille) → Elle .... bien, elle m'a donné un bon ....

4 (accueil / accueille) → Allez à l'................ Ma collègue vous .... avec un bon café.

5 (envoi / envoie) → Cet ...., elle l'..................... au tarif express.

b Je choisis et je complète la phrase.

1 (essais / essayer / essayé) → *Je n'ai pas essayé ce maillot de bain. Je voulais essayer mais le magasin interdit les essais.*

2 (ennui / ennuyer / ennuyé) → Quel .... ! Il déteste s'..................... et il s'est beaucoup .... pendant cette réunion ! Pourtant, il est resté.

3 (oubli / oublier / oublié) → J'ai .... On ne va pas se fâcher pour un .... Tout le monde peut .... quelque chose !

4 (pli / plier / plié) → Ton pantalon a un mauvais .... Tu l'as mal .... Je vais t'apprendre à le ....

5 (balai / balayer / balayé) → Prends le .... pour .... ta chambre. Moi j'ai .... le salon.

10 D'UN MOT À L'AUTRE

a J'ajoute « n » pour faire un nouveau mot avec les sons [wɛ̃] ou [jɛ̃].

loi → *loin* – la foi → le .... – le mois → .... – soi → un .... – des vies → tu .... – tu lies → des .... – la mie → le................ .

b J'ajoute « o » pour faire un nouveau mot avec le son [wa].

mi → *moi* – bis → le .... – ri → le .... – si → .... – mis → le ....

11 MOTS EN SÉRIE B1/B2

Masculin ou féminin ? Je complète et je trouve le genre.

1	2	3	4	5	6
bataille	*éventail*	*famille*	*abeille*	*réveil*	*cerfeuil*
t..................	dét..............	f..................	bout............	ort...............	écur.............
méd............	trav.............	chev............	gros............	appar...........	s...................
p..................	b.................	coqu............	corb............	cons............	faut.............
féminin	....	..................*	....	....	..................**

* Les noms masculins qui se terminent par « il » se prononcent **[i]** *outil, fusil,* ou **[il]** *civil, il.*
** un seul nom féminin se termine par « **euille** » : la feuille

12 MOTS DE LA MÊME FAMILLE

Je trouve un mot de la même famille avec le son [j].

merci → *remercier*
1 tri → ....
2 gentil → ....
3 bruit → ....
4 voir → ....
5 joie → ....

13 SUFFIXE -oir / -oire

a Je trouve le nom et l'article.

(ad)mirer → *un miroir*
1 baigner → ....
2 moucher → ....
3 balancer → ....
4 plonger → ....
5 bouillir → ....

b Je complète la règle :

Le suffixe « **-oir** » indique « le lieu de l'action » ou « l'objet qui sert à faire l'action ». Au masculin il s'écrit : .... , au féminin il s'écrit : .... sauf : un territoire, un observatoire, un laboratoire, un interrogatoire.

14 CONJUGAISON les verbes terminés par « -ayer », « -oyer », « -uyer » + voir

a Je conjugue au présent.

balayer, nettoyer, essuyer, payer → À l'hôtel, nous *balayons* les chambres, nous .... les salles de bains, nous .... la vaisselle et vous, vous ....

1 s'ennuyer / s'enfuir → Elle .... pendant cette soirée, alors elle ....

2 voir, envoyer, essayer → Tu .... une annonce, tu .... un message, tu .... d'avoir un rendez-vous

3 croire, travailler → Vous .... que vous allez réussir si vous .... si peu !

b Je complète la règle :

Avec les verbes terminés par « .... », « .... » et « **-uyer** », « .... » se place devant « **e** » *(paie, paies, paient, paierai)* et « **y** » devant une autre voyelle *(payé, payons, payez, payais).*

c Je conjugue la première phrase à l'imparfait.

À l'hôtel, nous *balayions* les chambres, nous .... les salles de bains, nous .... la vaisselle et vous, vous ....

Pour ces verbes, à l'imparfait, avec « **nous** » et « **vous** » on met un « **i** » après le « **y** » : *nous payions, vous payiez.* La prononciation est la même qu'au présent.

15 HOMOPHONES

Je complète les phrases.

[kwɛ̃] (coings / coin) → *Il y a de la confiture de coings à l'épicerie au coin de la rue.*

1 [dwa] (doit / doigts) → Il .... arrêter de manger avec ses ....

2 [vwa] (voit / voix) → Il a perdu sa .... , le docteur le .... demain.

3 [pwɛ̃] (points / poings) → Le boxeur frappe avec ses .... pour gagner des ....

4 [lɥi] (lui / luit) → Près de .... la lune .... dans le ciel.

16 MOTS VOISINS B1/B2

A-Z

a Je complète les phrases.

1 (rein / rien) → *Il est malade. Ils lui ont enlevé un rein, mais l'autre n'a rien.*

2 (bruit / brille) → Si on ne fait pas de .... , tu verras un ver luisant qui .... dans l'herbe.

3 (j'aie / j'aille) → Il faudrait que .... du courage et que .... chez le dentiste !

4 (veille / vieille) → La .... dame a été sauvée par les pompiers. La .... , elle était tombée.

5 (file / fille) → Il a retrouvé sa petite .... dans la .... d'attente du supermarché.

6 (Louis / lui) → Mon frère s'appelle .... et j'aime bien sortir avec ....

274 **b J'écoute et je répète en distinguant bien les mots voisins.**

C. J'écoute, j'écris, je dis

275 **17** DICTÉE A1/A2 **J'écoute et j'écris. Puis je vérifie avec la transcription.**

....

....

....

276 **18** DICTÉE B1/B2 **J'écoute et j'écris. Puis je vérifie avec la transcription.**

....

....

....

....

....

277 **19** LECTURE À VOIX HAUTE

J'écoute et je lis ce poème de Maurice Carême. Je note les liaisons et les enchaînements avec le signe‿. Puis je le dis en chuchotant, puis à voix haute.

Le chat et le soleil

Le chat ouvrit les yeux,
Le soleil y entra.
Le chat ferma les yeux,
Le soleil y resta.

Voilà pourquoi, le soir,
Quand le chat se réveille,
J'aperçois dans le noir
Deux morceaux de soleil.

Maurice Carême (1899-1978).

278 **20** LECTURE À VOIX HAUTE 

J'écoute cet extrait du livre de Philippe Delerm. Je souligne d'un trait le son [j], de deux traits le son [ɥ] et j'entoure le son [wa] et [wɛ̃]. Puis je lis le texte à voix haute.

Le croissant du trottoir

On s'est réveillé le premier. Avec une prudence de guetteur indien on s'est habillé, faufilé de pièce en pièce. On a ouvert et refermé la porte de l'entrée avec une méticulosité d'horloger. Voilà, on est dehors, dans le bleu du matin ourlé de rose : un mariage de mauvais goût s'il n'y avait le froid pour tout purifier.
On souffle un nuage de fumée à chaque expiration ; on existe, libre et léger sur le trottoir du petit matin. Tant mieux si la boulangerie est un peu loin. […] On se surprend à marcher sur le bord du trottoir comme on faisait enfant, comme si c'était la marge qui comptait, le bord des choses. C'est du temps pur, cette maraude que l'on chipe au jour quand tous les autres dorment.
– « Cinq croissants, une baguette moulée pas trop cuite ! »

Philippe Delerm, *La première gorgée de bière et autres plaisirs minuscules*, © Éditions Gallimard, 1997.

la lettre « h »

2.14

A. Je découvre

L'hiver

Bientôt,
l'hiver va envahir la
région. Les hirondelles sont
parties. Dehors, aujourd'hui,
le thermomètre annonce huit degrés…
Les habitants sont habitués. Chaque année,
on doit s'habiller chaudement avec chapeaux,
écharpes et gants pour ne pas attraper un rhume.
À la pharmacie, on achète des sirops et des
huiles essentielles. On boit aussi des tisanes de
thym. La neige arrivera pour le bonheur
des enfants qui souhaitent faire un
bonhomme de neige ou de la luge
en haut des champs.

1 **GRAPHIES**

a Je lis et j'écoute. Je souligne les liaisons et les élisions devant la lettre « h ».

b La lettre « h » se combine avec quelles lettres ? Change-t-elle le son de la lettre ?
Je complète le tableau avec les mots du texte avec la lettre « h » selon le cas.

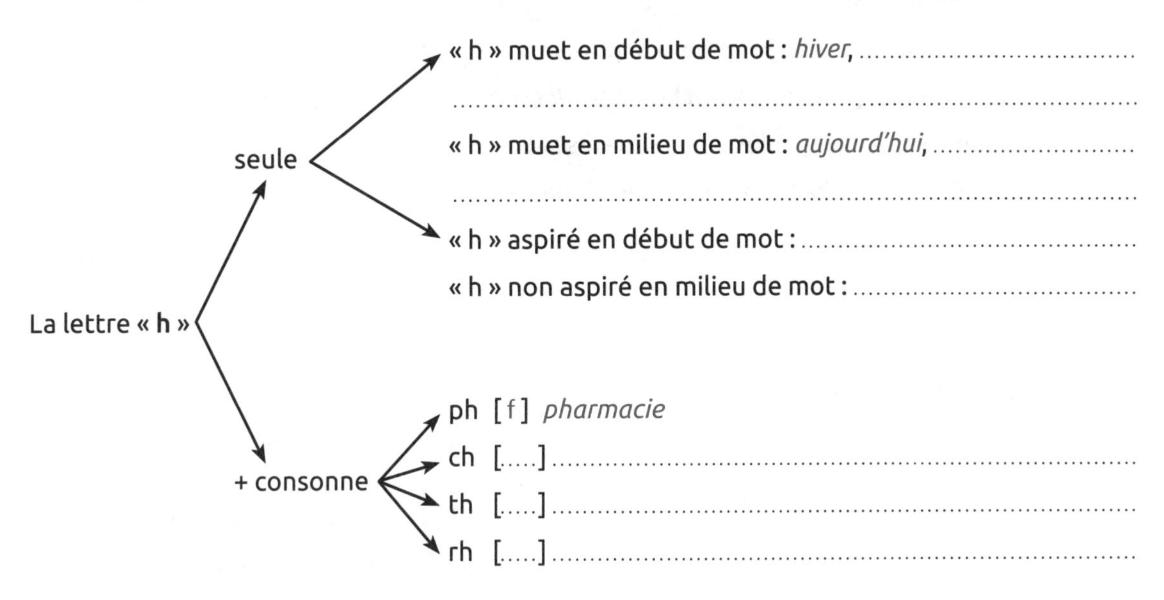

c Je coche la bonne réponse :

La lettre « **h** » seule ne se prononce pas. Il y a deux « **h** » :
- « **h** » muet qui ❑ empêche ❑ n'empêche pas la liaison et l'élision. *(l'hiver)*
- « **h** » aspiré qui ❑ empêche ❑ n'empêche pas la liaison et l'élision. *(en haut)*

d Je lis le texte à voix haute en même temps que le locuteur.

la lettre « h »

2 ÉCRITURE

a J'observe et j'écris la lettre « h ».

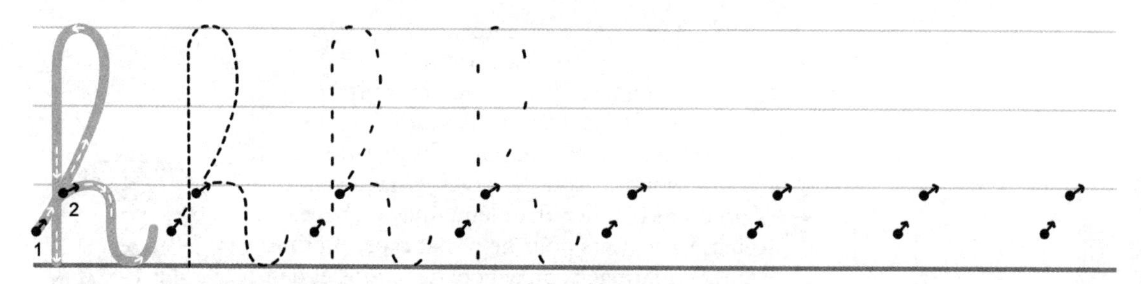

b J'écris la phrase et j'ajoute les majuscules si nécessaire et la ponctuation.
hier hugo et hélène sont partis habiter chez thomas un ami pharmacien dans un hameau des hautes-alpes

....

....

....

3 MISE EN MOTS

Je sépare les mots et je recopie la phrase.

1 Ilestàlhôpitalcarilaeuunchochorrible. *Il est à* ....

2 Lechanteuraenvoyéhierunephotoàsesfans. ....

3 Cetathlèteesouhaitehabiterenhautduhameau. ....

280 ## 4 DISCRIMINATION

a J'écoute et je coche quand j'entends une liaison ou un enchaînement .

1 ☒ *les hommes* 2 ❑ les Halles 3 ❑ en haut 4 ❑ les habitudes 5 ❑ aujourd'hui
6 ❑ des histoires 7 ❑ le hasard 8 ❑ la honte 9 ❑ l'humanité 10 ❑ le huit 11 ❑ une horreur

b Je note # quand il n'y a pas d'enchaînement ni de liaison avec les mots commençant par « h » et ‿ s'il y en a.

1 *En#Hollande, cet‿homme est un#héros.*

2 Avec le numéro de cet hebdomadaire, vous saurez tout sur les hérissons et les hiboux.

3 Dans mon jardin, j'ai des herbes aromatiques et des haricots de toutes sortes.

4 Nous avons un hiver très doux et des hautes températures inhabituelles.

5 Elle est honnête et elle a horreur de la haine entre les humains.

c J'écoute pour vérifier.

B. Je crée des liens

5 CHOIX DE LA GRAPHIE

Je complète avec « h » au début du mot si nécessaire.

une habitude – une ....oreille – un ....oraire – une ....armoire – une ....armonie – une ....erbe – une ....erreur – ....eureux – ....européen.

6 D'UN MOT À L'AUTRE 

a Je lis et je prononce les mots.

1 chaud – chahut 2 cou – cohue – 3 je m'en vais – envahir 4 caisse – cahier 5 taire – Tahiti

282 **b J'écoute pour vérifier.**

c Je coche la bonne réponse :

Quand il y a « **h** » entre deux voyelles, ❑ elles se prononcent séparément
❑ elles ne se prononcent pas séparément.

d J'écris chaque mot à côté de sa définition : *le chahut*, envahir, Tahiti, le cahier, la cohue

le chahut : agitation bruyante des écoliers.

1 .... : foule en désordre qui se bouscule.
2 .... : île de la Polynésie française.
3 .... : entrer par la force dans un pays militairement.
4 .... : assemblage de feuilles de papier avec une couverture.

7 MOTS EN SÉRIE

a Je lis les prénoms. Je transcris la prononciation de la syllabe avec « h ».

Christophe, Catherine, Philippe, Christelle, Henri, Thérèse, Hélène, Joseph

[kʀi] ....

b J'écoute pour vérifier.

284 8 DICTÉE A1/A2 B1/B2 J'écoute et j'écris. Puis je vérifie avec la transcription et je lis le texte à voix haute.

....
....
....
....
....

la lettre « h »

Les mots les plus fréquents en français avec la lettre « h »

Les dictionnaires signalent généralement le « h » aspiré soit par la mention « h aspiré », soit par un astérisque *, soit par le signe ' dans la transcription phonétique : *héros* : ['ero].

Noms			
« h » muet		**« h » aspiré**	
masculin	**féminin**	**masculin**	**féminin**
habitant	habitante	haricot	haie
habits / habiller	haleine	hasard	haine
habitation	harmonie	hall	Halles
hebdomadaire	herbe	hameau	halte
hélicoptère	héroïne	handball	hanche
hiver	heure	harem	harpe
homme	histoire	haut	hauteur
hôpital	horreur	héros	hausse
horaire	hôtellerie	Hollandais	Hollandaise
horizon	hôtesse	Hongrois	Hongroise
horloge	humanité	huit	honte
hôtel	humidité	hurlement	hors d'œuvre
	hygiène		housse

Adjectifs	
« h » muet	**« h » aspiré**
habile, harmonieux, historique, homogène, honnête, hostile, horrible, humain,	haché, hautain, hideux, hiérarchisé, honteux, huitième,

Verbes	
« h » muet	**« h » aspiré**
habiller, habiter, s'habituer, harmoniser, hésiter, hospitaliser, horrifier	hacher, heurter, hasarder, harceler, hocher, hurler

Remarque : Un #handicap ou un‿handicap, l'Académie française accepte les deux prononciations.

Mots d'origine étrangère

1 Le son [i]

a Je souligne les trois mots où les graphies « ee » ou « ea » ne se prononcent pas [i].
un meeting, un tee-shirt, un speech, le feedback, le feeling, un week-end, le peeling, un pedigree, un dealer, un jean, un steak, un break.

b J'écoute pour vérifier.

La lettre « **e** » se prononce **[i]** dans : *un email, le e-commerce.*
La lettre « **i** » se prononce **[œ]** dans : *un tee-shirt, un flirt.*

2 Le son [u]

286

a J'écoute et je répète.

1 Après avoir joué au foot, il va au fast-food et il ne boit pas d'alcool.
2 Il a changé de look. C'est un scoop sur Google et sur Yahoo.
3 Les enfants adorent voir les animaux au zoo.
4 Suivre un cours sur un MOOC, c'est cool.

b Quels sont les mots où « oo » ne se prononce pas [u] ? ....

3 Lettre « u » → [œ]

a Je complète les phrases avec : *du bluff,* le club, le rush, un hold up, un puzzle.

1 *Ce n'est pas vrai, c'est du bluff.*
2 Pour les soldes, il y a de vrais .... dans certains magasins.
3 Au .... , il y a eu .... mais cela s'est bien terminé.
4 Mes enfants aiment faire des ....

287

b J'écoute et je répète.

4 Le son [k]

a J'écris le mot à côté de sa définition: *kimono,* kangourou, kiosque, anorak, klaxon.

1 *un vêtement porté par les Japonaises : un kimono*
2 un vêtement d'origine inuit utilisé par temps froid : un ....
3 un pavillon dans un jardin d'origine turco-persane : un ....
4 un animal vivant en Australie avec une poche sur le ventre : un ....
5 un appareil sonore dans un véhicule qui prévient d'un danger : ....

b J'écoute et je dis chaque mot à voix haute.

c Je complète les phrases : *bifteck,* stocker, pickpockets, ticket.

1 *Je mange souvent le midi un bifteck avec des frites et de la salade.*
2 Tu as composté ton .... de bus ?
3 Il faut que l'on trouve un hangar pour .... le matériel informatique.
4 Faites attention aux .... dans les transports en commun.

Il n'y a pas de **double k**, sauf : *trekking*

5 **Le son [g]**

a J'écris le mot à côté de sa définition : *le reggae*, le jogging, un tageur, le toboggan, un nugget.

le reggae : musique populaire jamaïcaine caractérisée par un rythme simple.

1 .... : une personne qui peint sur les murs nus ou les façades des graffitis.

2 .... : morceau de poulet frit dans l'huile, spécialité américaine.

3 .... : piste inclinée sur laquelle les enfants glissent pour s'amuser.

4 .... : course à pied dans le but de garder la forme.

b J'écoute et je dis chaque mot à voix haute.

6 **Les sons [m] – [n] – [ɲ]**

Je lis, j'écoute et je répète.

• **Avec la lettre « m » :**
1 [am] : tram, macadam, Amsterdam, Rotterdam,
2 [ɛm] : idem, tandem, totem, harem, requiem, Jérusalem,
3 [ɔm] : album, forum, minimum, maximum, uranium.

• **Avec la lettre « n » :**
4 [an] : barman, gentleman, Haussmann,
5 [ɛn] : cyclamen, gluten, spécimen, pollen, dolmen, Carmen.

7 **le son [ʃ]** « sh », « sch », « sc »

a Je complète les phrases avec : *short*, shampoing, crash, schéma, kitsch, putsch, fascisme

1 Le *short* est apparu à la fin du XIXe siècle pour la pratique des sports en plein air.

2 Tu peux m'acheter un .... pour cheveux secs ?

3 Il habite un appartement très .... Je te fais un .... pour y aller facilement.

4 Le .... s'est installé en Europe dans les années 30 et a conduit à la deuxième guerre mondiale.

5 Chaque année, malheureusement, il y a des .... aériens et des .... militaires.

b J'écoute pour vérifier.

8 **Le son [ʒ]**

a J'écoute et je répète.
un jean – le jazz – un jacuzzi – un banjo – un jack – une jeep – un job – la jungle – le jackpot – le judo – le jogging

b Je complète la règle :

La lettre « **j** » se prononce [.......] dans les mots d'origine étrangère, sauf : *jungle, jacuzzi* et *judo* où elle se prononce [.......].

Tableau graphie → phonie

Je lis	Je prononce	Exemples	Cas particuliers
a, à, â	[a]	m**a**l, **à**, p**â**te	[ɛ] cake, made in
au	[o]	s**au**t	[ɔ] Paul
ai	[ɛ]	l**ai**t, **ai**me, tramw**ay**	[ø] faisons, faisais, faisable
ay	[ɛj]	bal**ay**er, cr**ay**on	[ɛi] pays
ail(le)	[aj]	trav**ail**, p**aille**	
an, am	[ɑ̃]	b**an**c, c**am**p	[islam] islam, [fɑ̃] faon
ain, aim	[ɛ̃]	p**ain**, f**aim**	[amɑ̃] méchamment
b, bb	[b]	**b**allon	abbé
b (final)	[-]	plom**b**	
c + a, o, u	[k]	**c**ar, **c**ol, **c**ulture	second c = [g]
+ e, i, y }	[s]	**c**e**c**i, **c**ycle	
ç + a, o ,u }		**ç**a, le**ç**on, re**ç**u	
cc + e, i	[ks]	a**cc**ès, o**cc**ident	
+ a, o, u	[k]	bu**cc**al, a**cc**ord, o**cc**upé	accueil
ch	[ʃ]	**ch**at	
	[k]	**ch**œur, or**ch**estre	
c + C, c (final)		**c**lair, mi**c**ro, sa**c**, la**c**,	
c/ct (final)	[-]	taba**c**, respe**ct**	
d, dd	[d]	**d**os	addition
d (final)	[-]	ni**d**	[d] bled, plaid
	[t] (liaison)	pren**d**-il ?, le gran**d** air	
é }	[e]	**été**	[i] ee : meeting, tee-shirt
es }		**les**, **tes**, **ses**, **ces**, **mes**, **des**	[ɛ] est
er }		parl**er** (infinitif)	
ez }		**nez**, **chez**, vous parl**ez**	
e } + C même syllabe	[ɛ]	m**er**, ch**er**	[œʀ] leader, (ham)burger
è }		m**è**re	
ê }		f**ê**te	
ë }		No**ë**l	
ei }		n**ei**ge	
et }	[ɛ] ou [e]	poul**et**	[e] et
ey }		troll**ey**, ass**eyez**-vous	
eil(le)	[ɛj]	sol**eil**, ab**eille**	
e	[ø] ou [œ]	l**e**, j**e**, qu**e**, g**e**nou	[y] eu
eu, œu	[ø]	pn**eu**, p**eu**, n**œu**d	
	[œ]	m**eu**ble, **œu**f	[œ] jeûne, [aʒɛ̃] à jeun
euil(le	[œj]	s**euil**, f**euille**	
en, em	[ɑ̃]	v**en**t, **em**porter	[am] femme, [an] solennel
ein, eim	[ɛ̃]	exam**en**, europé**en**	[amɑ̃] violemment
		fr**ein**, R**eim**s	[ɛm] idem, harem …
eau	[o]	**eau**, chât**eau**	
f, ff	[f]	**f**leur, o**ff**rir, neu**f**, œu**f**	[v] : neuf heures, neuf ans
f (final)	[-]	cle**f**, bœu**fs**, œu**fs**	
g + i, y, e }	[ʒ]	**g**ifle, **g**ymnastique, **g**enou	[g] gh : ghetto, spaghetti
ge + a, o, u }		**ge**ai, **Geo**rges, ga**geu**re	
g + a, o, u }	[g]	**g**are, **g**omme, fi**g**ure	agglomération, reggae, jogging,
gu + e, i, y }		**gu**erre, **gu**i, **Gu**y	
g + r, l }		**gr**oupe, **gl**isser	
g (final)	[-]	lon**g**	
gn	[ɲ]	pei**gne**	[gn] stagner, diagnostic

h	[-] [#]	bon**h**eur, l'**h**iver de**h**ors, le **h**éros	
i, î ien in, im C + ill(e)	[i] [j] [jɛ̃] [jɑ̃] [ɛ̃] [ij]	**i**ci, **î**le m**i**eux ch**ien**, r**ien** or**ien**t l**in**, s**im**ple **fi**lle, fam**ill**e, pap**ill**on	[ij] prier/lier [iŋ] meeting, camping [im] intérim, [in] gin [il] mille, ville, tranquille
j	[ʒ]	**j**eu	[dʒ] Jeep
k	[k]	**k**épi	
l, ll	[l]	**l**it, ba**ll**on, cie**l**	[-] gentil
m, mm	[m]	a**m**i, co**mm**e	[-] automne
n, nn	[n]	**n**ez, a**nn**ée	
o, ô oo } ou } ouil(le) oi, oy on, om œu oe ,oê oin	[o] [ɔ] [u] [w] + V [uj] [wa] [ɔ̃] [œ] [wa] [wɛ̃]	d**o**s, c**ô**te p**o**rt f**oo**t p**ou**r **ou**i, **oua**te fen**ouil**, r**ouille** m**oi**, m**o**yen **ton**, **tom**be **œu**f m**oe**lleux, p**oê**le **loin**	 [klun] clown [oo] coopérer, [ɔ] alcool, où, goût, août monsieur [mœsjø] œil [œj], œsophage [øzɔfaʒ] coïncidence [koɛ̃sidɑ̃s]
p, pp p (final) ph	[p] [-] [f]	**p**ot, a**pp**eler tro**p**, beaucou**p**, siro**p** **ph**oto	 [p] cap, stop
q, qu q (final)	[k] [-]	**q**ui, ban**q**u**e**, co**q**, cin**q** cin**q** cents	[kwa] aquarelle, [kɥi] équidistant
r, rr	[ʀ]	**r**ue, a**rr**êt, pou**r**	rh rhume, rhum
s } V + ss + V } V + s + V s (final)	[s] [z] [-]	**s**ud a**ss**is r**ose**, le**s** **é**tudiants (liaison) do**s**, les livre**s**, tu aime**s**	[ʃ] sch schéma [ʃ] sh shampoing
t, tt, th t (final) sti, tie, tié (a)tion, tiel, tie	[t] [-] [t] [s]	**t**as, a**tt**endre, **th**é po**t** ges**t**ion, garan**tie**, ami**tié** la no**tion**, essen**tiel**, démocra**tie**	 nous notions
u, û un, um ui, ué	[y] [ɛ̃] [ɥi][ɥe]	l**u**ne, s**û**r l**un**di, h**um**ble n**ui**t, b**ué**e	[albɔm] album [œ] club, rush, trust [biznɛs] business
v	[v]	**v**ite	
w	[v]	**w**c, **w**agon	[w] whisky, watt
x x (final)	[ks] [gz] [-]	ta**x**i e**x**amen deu**x**, vieu**x**	[s] soixante, six, dix [z] dixième, deuxième, sixième deux amis (liaison)
y yn, ym	[i], [ij], [j] [ɛ̃]	jur**y**, **il y** a, pa**y**er s**yn**dicat, s**ym**phonie	
z z (final)	[z] [-]	ga**z** ri**z**, ne**z**	jazz

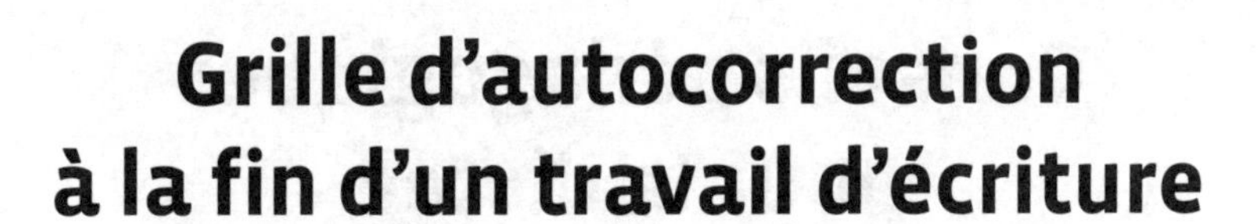

Grille d'autocorrection à la fin d'un travail d'écriture

J'ai fini d'écrire une phrase ou un texte. Je vérifie et je coche.

		oui	non
1	J'ai relu ce que j'ai écrit.		
2	J'ai mis une majuscule au début et un point à la fin de la phrase.		
3	J'ai pensé à mettre la ponctuation, par exemple : • une virgule entre les mots dans une énumération. • un point à la fin des phrases affirmatives ou négatives. • un point d'interrogation pour les phrases interrogatives. • un point d'exclamation pour les phrases exclamatives.		
4	J'ai utilisé le dictionnaire pour vérifier l'orthographe de certains mots.		
5	J'ai mis une majuscule aux noms propres.		
6	J'ai vérifié que je n'ai pas inversé de lettres.		
7	J'ai fait attention aux homophones en réfléchissant sur la fonction et le sens du mot dans la phrase.		
8	J'ai réfléchi à des mots de la même famille pour choisir la graphie de certains sons.		
9	J'ai pensé à un mot de la même famille pour écrire la lettre finale qui ne se prononce pas.		
10	Je n'ai pas oublié la lettre d'appui pour que la lettre « g » se prononce [g] ou [ʒ] devant certaines voyelles		
11	Je n'ai pas oublié la lettre d'appui pour que la lettre « c » se prononce [k] devant certaines voyelles.		
12	Je n'ai pas oublié la cédille pour que la lettre « c » se prononce [s] devant certaines voyelles.		
13	Je n'ai pas oublié de mettre un accent aigu, grave, circonflexe ou un tréma, sur les voyelles quand c'est nécessaire.		
14	J'ai accordé le verbe avec son sujet.		
15	J'ai accordé les adjectifs avec les noms.		
16	J'ai accordé les déterminants avec les noms.		
17	Je n'ai pas oublié de mettre les lettres muettes des formes verbales.		
18	J'ai fait attention aux mots invariables.		
19	Pendant ma relecture, j'ai fait des corrections.		
20	J'ai lu à voix haute ma phrase ou mon texte pour entendre sa justesse et sa musicalité.		

Conseils pédagogiques pour la dictée

La dictée est une activité à privilégier car elle met en jeu autant la discrimination orale que la mise en forme graphique du texte. Elle est faite autant au moment de l'apprentissage qu'au moment de l'évaluation finale. Pour ne pas mettre les apprenants en situation d'échec, l'enseignant repère le lexique et les structures grammaticales de la dictée pour prévoir un ou des exercices de révision. La version audio pour les niveaux A1/A2 comporte les indications de majuscules et de ponctuation et est lue sur un rythme plus lent. La version pour les niveaux B1/B2 ne comporte plus ces indications et le rythme est plus rapide.

Pour un apprentissage seul ou dans la classe, quelques déroulements possibles :

- **Le déroulement classique :** le texte de la dictée est entendu une première fois dans son ensemble. Il est écrit pendant la seconde écoute. A la fin de la dictée, la relecture est nécessaire et l'apprenant vérifie les accords et les formes verbales. Il regarde le corrigé et s'autocorrige. En classe, l'enseignant donne des conseils pendant la relecture puis fait une correction collective. Les résultats de la dictée lui indiqueront les exercices de remédiation à prévoir.
- **La dictée préparée :** l'apprenant lit le texte de la dictée dans le corrigé et peut ainsi repérer les mots qui lui posent encore problème, les pièges à éviter, les règles à ne pas oublier et s'entraîner à les écrire. Puis le livret du corrigé est fermé et il fait la dictée. En classe, l'enseignant transcrit le texte au tableau et explique les mots et les accords. Il efface le tableau et il fait la dictée.
- **Les deux dictées :** les apprenants de niveaux plus avancés peuvent faire la dictée des niveaux A1/A2, avant de faire celle correspondant à leur niveau.
- **La dictée guidée :** la dictée est faite par l'enseignant selon le mode classique mais tout au long de la dictée, l'enseignant attire l'attention des apprenants sur les problèmes orthographiques à l'aide de questions sans donner la réponse. Par exemple : « À quoi vous devez faire attention quand vous écrivez cet adjectif ? ».
- **La dictée commentée :** après chaque phrase de la dictée, les apprenants posent des questions sur le sens ou l'écriture d'un mot, sur un accord ou sur le choix d'une graphie. Les étudiants discutent des réponses à apporter et l'enseignant les valide.
- **La dictée interactive à trous :** il est possible de travailler la dictée en préparant deux textes lacunaires complémentaires. Un étudiant A dispose du texte A avec certaines lacunes tandis que l'étudiant B dispose du texte B avec d'autres lacunes. Chacun leur tour, ils dictent à l'autre les parties manquantes qu'ils ont sous les yeux pour arriver à former le texte complet. Ils confrontent ensuite les deux textes et se corrigent.
- **La dictée à deux avec le corrigé :** les apprenants travaillent en binôme : un apprenant avec le corrigé dicte la dictée et l'autre apprenant écrit. Ils peuvent inverser les rôles à mi-parcours.
- **La dictée d'un apprenant :** un apprenant vient au tableau écrire la dictée. Les autres apprenants écrivent dans leur cahier. À la fin, la dictée du tableau est corrigée collectivement par tous les apprenants avec l'aide de l'enseignant. Les apprenants corrigent ensuite leur dictée individuellement. L'enseignant regarde la copie de chaque apprenant et fait un bilan individuel.

Glossaire Phonie-graphie

Accent phonique ou tonique : en français, c'est l'augmentation de la durée de la voyelle dans la syllabe où elle se trouve. Elle est deux fois plus longue dans une syllabe accentuée que dans une syllabe inaccentuée. L'accent en français est fixe, sur la dernière syllabe d'un groupe rythmique. Il n'est pas indiqué graphiquement comme dans certaines langues.

Accent graphique : signe ajouté sur les voyelles a, e, i, o, u. Il y en a trois : accent aigu, accent grave, accent circonflexe. Parfois il entraîne un changement de la prononciation de la voyelle (sur e, o), parfois il permet seulement de différencier deux mots à l'écrit (sur a, i, u).

API : l'alphabet Phonétique International est un alphabet créé à la fin du XIXe siècle pour la transcription phonétique du langage parlé de toutes les langues du monde. Son principe : un même symbole correspond toujours à un même son. L'API ne respecte pas l'orthographe des langues et ne fait que montrer comment elles se prononcent.

Consonne (= C) : la consonne est différente de la voyelle parce que l'air ne passe pas librement à travers le conduit buccal à cause de son rétrécissement ou de la rencontre d'obstacles.

Discrimination : entraînement de l'oreille à reconnaître deux sons différents. Les apprenants doivent distinguer deux sons qu'ils confondent (par exemple, le son [s] dans « saut » et le son [z] dans « zoo »), cette opposition n'existant pas dans leur langue maternelle.

Élision : en français, les voyelles « e », « a », « i » des mots « le », « la » « de », « ce », « je », « me », « te », « se », « ne », « que », « si », sont supprimées devant une voyelle ou un h muet et remplacées par une apostrophe. Exemples : *l'étudiant, s'il te plaît.*

Enchaînement consonantique : la consonne finale prononcée d'un mot s'enchaîne au mot suivant quand il commence par une voyelle ou un h muet. La consonne change alors de syllabe. Exemples : *une amie* [y/na/mi], *un hôpital* [ɛ̃/no/pi/tal].

Graphème ou Graphie : la plus petite unité du système graphique destinée à transcrire les phonèmes. Elle est composée d'une, deux ou trois lettres.

Groupe consonantique : ensemble de plusieurs consonnes. Exemples : **tr** dans *très*, ou **fl** dans *fleur* ou **str** dans *astre.*

Groupe rythmique, de souffle : de 1 à 7 syllabes maximum prononcées dans un seul souffle comme un seul mot et délimitées par un seul accent. Les groupes rythmiques correspondent aux différents éléments de la phrase regroupés selon leur unité de sens.

H aspiré/muet : en français, la lettre «h» ne se prononce pas. Quand un mot commence par un « h » dit « aspiré », l'élision ou la liaison est impossible avec l'article. Exemple : le#haut, la#hauteur. Si le « h » est muet ou non aspiré, il y a élision et liaison comme si la lettre n'existait pas. Exemples : un‿homme [ɛ̃nɔm], les‿hommes [lezɔm]

Homophone : ce sont deux mots différents qui possèdent la même prononciation. Exemple : [so] : *sot, seau, saut, sceau.* Il y a des homophones qui sont aussi homographes. Exemple : [tuʀ] signifie soit *le tour* (le déplacement autour d'un lieu) soit *la tour* (d'un château).

Homographe : deux mots différents qui possèdent la même orthographe mais pas forcément la même prononciation. Exemple : « *président* » prononcé [pʀezidɑ̃] signifie une personne élue ou désignée à la tête d'un état ou d'un groupement. Prononcé [pʀezid], c'est le verbe « présider » au présent à la 3e personne du pluriel et il signifie « diriger ».

Liaison : la consonne finale, habituellement muette, est prononcée avec la première syllabe du mot suivant. En français, les liaisons les plus fréquentes sont avec : t, n, z. C'est un vestige du passé. Exemple : *les amis* [lezami]. Elles sont obligatoires, facultatives ou interdites.

Nasal(e) : pour prononcer une voyelle ou une consonne nasale, l'air passe à travers la cavité buccale et les fosses nasales : la voyelle [ɑ̃] et la consonne [m] en français par exemple.

Phonème : c'est la plus petite unité distinctive à l'oral, en nombre limité dans chaque langue. Avec l'ensemble des phonèmes, on peut créer une infinité de mots. Toutes les langues du monde ont en moyenne entre trente et quarante phonèmes.

Préfixe : élément ajouté au début d'un mot pour créer un nouveau mot avec un sens différent. Exemple : *faire* → ***dé****faire* (voir radical ou base)

Radical ou base : la plus petite unité lexicale qui permet de former des mots. En français, on peut ajouter des préfixes et des suffixes. Exemples : *revenir* = préfixe « re ».+ radical « ven » + suffixe « ir ». La classification des verbes au présent d'après le nombre de radicaux oraux est adoptée. Elle comprend trois groupes (verbes à 1, 2 ou 3 bases) et quatre exceptions.

Semi-consonnes/semi-voyelles : sons qui, par leurs caractéristiques articulatoires, acoustiques, mais aussi leur position dans la syllabe, peuvent être considérés comme des semi-consonnes (elles occupent la place des consonnes dans la syllabe) ou des semi-voyelles (ce sont des voyelles à l'origine). Exemples : [i] → [j], [u] → [w].

Sonore/sourde : une consonne sonore est caractérisée par la vibration des cordes vocales par opposition à une consonne sourde où elles ne vibrent pas. Les voyelles sont en général toujours sonores.

Suffixe : élément ajouté à la fin d'un radical pour faire un nouveau mot. Exemple : *bon* → *la bonté* (voir radical ou base).

Syllabe fermée : syllabe qui se termine par une consonne. Exemple : *mur* [myʀ].

Syllabe ouverte : syllabe qui se termine par une voyelle. Exemple : *beau* [bo].

Transcription phonétique : méthode plus ou moins formalisée qui transcrit la prononciation standard ou spécifique d'un locuteur.

Voyelle (= V) : articulation qui laisse l'air passer librement à travers le conduit buccal, sans obstacle. L'articulation d'une voyelle nécessite en effet une certaine distance entre le dos de la langue et le palais et une certaine ouverture de la mâchoire.

Achevé d'imprimer en Italie par L.E.G.O. S.p.A.
Dépôt légal : Février 2019 - Collection n°23 - Édition 01 - 55/8908/9